BYD

BYD
YR YSBRYDION

Elwyn Edwards

Cyhoeddiadau Barddas 1998

ⓗ Elwyn Edwards
Argraffiad Cyntaf – 1998

ISBN 1 900437 24 4

*Y mae Cyhoeddiadau Barddas yn gweithio gyda chefnogaeth
ariannol Cyngor Celfyddydau Cymru.*

*Dymuna'r Cyhoeddwyr gydnabod cymorth
Adrannau Cyngor Llyfrau Cymru.*

Cyhoeddwyd gan Gyhoeddiadau Barddas
Argraffwyd gan Wasg Dinefwr, Llandybïe, Sir Gaerfyrddin

Cynnwys

Diolchiadau

Dymunaf ddiolch i nifer o bobl am eu cymorth gyda'r llyfr hwn, ac am ganiatâd i atghynhyrchu rhai defnyddiau.

Diolch i'r Prifardd Elwyn Roberts am lunio Rhagymadrodd i'r llyfr. Hefyd i Medwyn Roberts am dynnu'r llun o Llywelyn ein Llyw Olaf gan ddilyn fy nisgrifiad i ohono, ac i staff Archifdy Meirionnydd, Dolgellau, am bob cymorth. Bu Eric Purchase yn ddigon caredig i roi ei ganiatâd i mi i ddefnyddio'r lluniau o feddrod Gwilym Mersia y tu mewn i Eglwys Gadeiriol Bath a Wells, a dymunaf ddiolch hefyd i Wasg Llannerch am gael atgynhyrchu tudalennau 24 a 25 o'r llyfr *Ogham Monuments in Wales*, a olygwyd gan John Sharkey (1992).

Yn olaf, diolch i Wasg Dinefwr am ei gwaith graenus ar y llyfr, ac am bob cymorth a gefais gan y wasg.

Elwyn Edwards
Ebrill 1998

Rhagair

gan Elwyn Roberts

Yn ogystal â'ch sicrhau fod yr hanesion a gofnodir yn y llyfr hwn yn wir, fy mwriad yma yw ceisio rhoi tipyn o oleuni ar bwnc Paraseicoleg yn gyffredinol.

Caddug

Credaf ei bod yn ddyletswydd arnaf i roi i chi rai ffeithiau syml, gan nad oes bwnc arall sydd wedi'i lurgunio'n fwy yn y modd y'i portreadir gan lawer o arweinwyr sefydliadau crefyddol yn ogystal â phobl y 'cyfryngau'. Mae'r rheswm am yr ail yn ddealladwy: mae stori gyffrous ac arswydus sy'n llawn dirgelwch yn gwerthu'n well nag un syml sy'n cynnig eglurhad. Ac ofnaf mai hollol groes i ddatganiad yr hen frawd o bregethwr yn y stori amdano'n sgwrsio â'r dyn dal tyrchod daear yw fy mhrofiad i o'r mwyafrif o glerigwyr, ond nid pob un. Gallwn enwi amryw a fu ac sydd heddiw'n astudio'r maes. 'Dod â rhai o dywyllwch i oleuni,' meddai'r parchedig, pan ofynnwyd iddo gan y tyrchwr beth oedd ei alwedigaeth, cyn i hwnnw ymateb, fel y cofiwch, trwy honni'u bod nhw ill dau felly yn yr un busnes.

O ddifri, tybiaf mai cymhlethu a rhwystro dealltwriaeth o'r maes dan sylw i raddau pell a wnaeth yr Eglwys Gristnogol fel llawer o grefyddau eraill y byd dros y canrifoedd diwethaf. Pam, tybed? Un posibilrwydd yw mai trwy rybuddio am beryglon ymhél â'r Byd Ysbrydol (sy'n rhan hanfodol o'u credo) a chreu ofn a dychryn, yn hytrach na cheisio darganfod a deall, y gobeithiant gadw eu monopli arno. Erbyn ystyried, onid oes elfen gref o hyn yn perthyn i sawl proffesiwn a sefydliad: ymgais i greu argraff o gymhlethdod a chyfriniaeth yn eu meysydd neilltuol er mwyn cynnal a chadw eu 'siop gaeëdig', h.y., rhwystro rhai o'r tu allan rhag deall a gweithredu drostynt eu hunain, rhag ofn y buasai hynny'n achosi i'r 'arbenigwyr' golli dylanwad a grym? Credaf mai un o wendidau cynhenid yr hil ddynol yw ei hoffter o 'falu awyr': pobl yn siarad heb i'w geiriau fod wedi eu seilio ar wybodaeth gywir na rhesymeg gadarn.

Rhyfygaf ymhellach drwy honni fod 80% neu fwy o'r hyn a gyflwynir fel ffeithiau ym mhob maes heblaw gwyddoniaeth bur a mathemateg yn perthyn i'r categori hwn! Gwirionedd a grisialwyd yn wych yn y ddihareb Saesneg honno a ddysgais yn ystod fy nwy flynedd o wasanaeth milwrol: 'Bullshit baffles brains.'

Cwestiwn twp a ofynnir imi hyd syrffed yw: sut y gall gwyddonydd ymchwil gyfiawnhau ymddiddori mewn pwnc mor od â'r Paranormal? Dylai pawb wybod, wrth gwrs, mai ceisio deall ac egluro dirgelion y Bydysawd yn ei gyfanrwydd yw swydd y gwyddonydd. Pan ddigwydd ffenomenâu naturiol o unrhyw fath, gan gynnwys rhai paranormal, ei waith yw ceisio'u datrys, trwy gofnodi'r hyn a ddigwydd yn gywir a diragfarn, ffurfio damcaniaeth, ac yna ceisio profi cywirdeb y ddamcaniaeth honno mewn arbrofion ac astudiaethau o ddigwyddiadau tebyg, gan newid y ddamcaniaeth lle bo angen, gyda'r bwriad o'i pherffeithio.

Cyn y gellir trafod unrhyw bwnc yn iawn, rheidrwydd yw diffinio'r termau a ddefnyddir yn y dull symlaf posibl.

Ystyron

PARASEICOLEG
Golyga'n syml astudiaeth o bethau sy'n gysylltiedig â'r meddwl, yn synhwyrau a doniau, sydd y tu hwnt i'r rhai amlwg cydnabyddedig. Mae astudio'r Seicic yn golygu'r un peth.

PARANORMAL

Y math o bethau yr honnir eu bod yn digwydd weithiau, pethau na ellir eu deall yng ngoleuni gwyddoniaeth yn ei stad bresennol. (Afresymol yw defnyddio'r hen derm 'goruwch-naturiol' gan na all dim ddigwydd y tu allan i gyfundrefn naturiol y bydysawd.) Yr un yw ystyr 'digwyddiadau seicic' â 'digwyddiadau paranormal'.

DRYCHIOLAETH (adlewyrch, megis darlun mewn drych)

Pobl (ac anifeiliaid weithiau, fe ymddengys) yn synhwyro (gweld, clywed, arogleuo, ac yn y blaen) pobl neu bethau eraill na allant fod yno mewn dull normal.

Yn aml (ond nid bob amser) adnabyddir y ddrychiolaeth fel person, a derbynnir neges o ryw fath ganddo/ganddi. Profwyd trwy gofnodi digwyddiadau fod tua hanner y drychiolaethau y cyfarfyddir â nhw yn gysylltiedig â phobl sy'n fyw ar y pryd, a'r hanner arall yn gysylltiedig â phobl a fu farw. Pan fydd drychiolaeth o berson byw yn ymddangos, mae'r person a welir mewn rhyw fath o wewyr neu argyfwng fel arfer, er bod rhai arbrofion wedi gorfodi i ddrychiolaethau ymddangos. Pan ymddengys drychiolaeth rhywun 'marw' yn ddiwahoddiad, bydd ganddo awydd cryf i drosglwyddo neges i'r byw, boed hwnnw yn gyfaill, yn berthynas neu weithiau'n ddieithryn hollol.

TELEPATHI

Meddyliau yn cyfathrebu â'i gilydd yn uniongyrchol heb ddefnyddio'r un o'r pum synnwyr cydnabyddedig. Gwyddys nad yw pellter yn amharu dim ar y ffenomen hon. Gall y wybodaeth a drosglwyddir rhwng meddyliau fod ar ffurf geiriau, darluniau, delweddau, meddyliau ac yn y blaen. Ymddengys fod telepathi rhwng 'y marw' a'r byw yn digwydd yn ogystal â rhwng y byw a'r byw. Mae ymarfer yn gallu cryfhau'r ddolen delepathig rhwng dau berson yn sylweddol, ac ymddengys y parha'r cyswllt wedi i un o'r ddau farw.

PELLOLWG

Gall y meddwl, fe ymddengys, ymbresenoli yn rhywle ymhell oddi wrth y corff, waeth pa mor bell, a dychwelyd â gwybodaeth o'r lle hwnnw. Yn fwy rhyfeddol fyth, efallai, ymddengys y gall y meddwl roi naid yn ôl neu ymlaen o'r presennol a lloffa gwybodaeth o'r amser hwnnw. Tebygol yw fod gweld 'gweledigaethau' a 'rhagweld y dyfodol', sef proffwydo, yn berthnasol i hyn.

CYFRYNGYDD

Un â dawn arbennig i ennyn ffenomenâu paranormal (yn fwriadol neu weithiau yn anfwriadol). Ymddengys ei bod yn ddawn naturiol a feddwn i gyd i ryw raddau, a gellir ei datblygu fel pob dawn gynhenid arall. Hefyd, fel doniau eraill, nid yw hon chwaith wedi ei rhannu'n gyfartal i bawb o bell ffordd. Pobl ddawnus o'r fath yw'r rhai y mae galw amdanyn nhw gan fudiad yr Ysbrydegwyr ac eraill i gyfathrebu â'u ffrindiau ymadawedig ar ran eu haelodau, a hefyd i iacháu mewn dull paranormal. Y tebyg yw mai cyfryngwyr oedd proffwydi'r Beibl a'r saint hanesyddol yn ogystal â rhai o'r merched diniwed a erlidiwyd ac a losgwyd wrth stanc fel gwrachod gan yr Eglwys.

MATHAU O GYFRYNGIAETH

1. *Meddyliol*: cyswllt telepathig â meddyliau eraill, y byw a'r 'marw'. (Dim ond y cyfryngydd ei hun sy'n ymwybodol o'r digwyddiadau, a throsglwydda'r wybodaeth i eraill.)

2. *Ffysegol*: pryd y galluoga'r cyfryngydd i ddrychiolaeth ymbresenoli a pheri fod pawb yn ei gweld. Weithiau gall y ddrychiolaeth siarad hefyd trwy fenthyca llais y cyfryngydd er mwyn i bawb ei chlywed, ond fel arfer sieryd â'r cyfryngydd trwy delepathi.

YSBRYD

Mae'r geiriau 'ysbryd' a 'meddwl' ac 'enaid' yn golygu yn union yr un peth, sef yr hyn ydym ni. Fy ysbryd i sy'n defnyddio fy nghorff ffysegol i gyfathrachu gydag eraill tebyg ar wyneb y blaned hon dros dro.

MARWOLAETH

Peiriant yw'r corff ffysegol o dan reolaeth y meddwl. Fel pob peiriant arall fe beidia â gweithio, trwy ddamwain neu dreulio yn hwyr neu hwyrach, fel na all y meddwl ei ddefnyddio mwyach. Dyma'r hyn a elwir yn farwolaeth, pryd y gedy'r meddwl y corff i barhau yn fyw mewn cyfundrefn wahanol gyda'i holl atgofion o'i brofiadau daearol, a'r gallu i gyfathrebu â'i gyfeillion yma, os dymuna, dan amgylchiadau ffafriol.

AILGNAWDOLIAD

Mae lle i amau fod rhai meddyliau o leiaf sy'n gysylltiedig â chyrff daearol wedi cael profiadau blaenorol, y tu allan i gylch eu profiadau nhw eu hunain. Ceir plant ag atgofion cywir am fywydau blaenorol weithiau yn ôl y sôn. 'Roedd ailgnawdoliad yn rhan o gredo swyddogol yr Eglwys hyd yn gymharol ddiweddar.

POLTERGEIST

Gair Almaeneg sy'n golygu, yn syml, 'ysbryd swnllyd'. Weithiau ceir achosion o dwrw, ymddangosiad drychiolaeth, pethau yn symud o gwmpas dan ddylanwad pwerau anweladwy, llynnoedd o ddŵr, ac yn y blaen, yn ymddangos mewn adeiladau. Ambell dro ymddengys mai meddwl rhyw berson di-gorff sydd yn gyfrifol, fel petasai yn awchus i dynnu sylw ato'i hun ac weithiau i roi rhyw neges a gyfrifa'n bwysig.

Dro arall ymddengys mai meddwl y byw sy'n ceisio sylw am ryw reswm. Digwydd yn aml, ond nid bob amser, mewn tai lle mae rhai yn eu harddegau neu eu llencyndod.

YSBRYDEGWYR

Sect grefyddol (Cristionogion yn perthyn i enwadau eraill hefyd gan amlaf, er nad oes orfodaeth i gydymffrurfio ag unrhyw gredo arbennig) sy'n honni arddangos parhad y meddwl dynol ar ôl marwolaeth y corff ffysegol. Gwneir hyn trwy dderbyn negesau gan berthnasau a chyfeillion ymadawedig, trwy allu cyfryngydd profiadol fel arfer. Hefyd credir y daw athroniaeth a chynghorion oddi wrth bersonau ysbrydol blaenllaw, yn ogystal â help i iacháu mewn dull a ymddengys yn wyrthiol. Pwysleisiaf nad yw pawb sy'n ymddiddori mewn archwilio'r paranormal yn Ysbrydegwyr. Nid wyf fi fy hunan nac Elwyn Edwards yn Ysbrydegwyr.

Cred arall sy'n gryf ym mudiad yr Ysbrydegwyr yw fod gennym ni ar y ddaear 'arweinwyr ysbrydol' sy'n barod i'n helpu (angylion gwarcheidiol?) ac mai trwy ddod i'w hadnabod a derbyn eu nawdd y datblygir ein doniau seicig.

MEDDIANNU (a phersonoliaethau lluosog)

Mae corff pob un ohonom fel arfer o dan reolaeth un meddwl, sef ein meddwl ni ein hunain. Mae enghreifftiau prin o feddwl (neu feddyliau) dieithr yn meddiannu corff rhywun, megis dros dro, ac yn achlysurol fel arfer. Cofnodwyd hanes geneth ifanc y meddiennid ei chorff gan chwe meddwl arall o dro i dro.

Gall ambell gyfryngydd roi benthyg ei gorff/ei chorff i feddwl di-gorff dros dro i'w alluogi i gyfathrebu â'r byw. Gwnânt hyn yn fwriadol gyda help ac o dan reolaeth eu hysbryd(ion) gwarcheidiol, fe ymddengys, heb unrhyw berygl.

YSGRIFENNU DIYMDRECH

Math arall o gyfryngiaeth yw 'ysgrifennu diymdrech'. Gall rhai pobl tra bônt yn ymlacio ddal pensil/pen ar bapur ac ysgrifennu o dan reolaeth meddwl arall, allanol (neu isymwybod yr ysgrifennwr). Os cywir hyn, anodd i gyfansoddwyr cerddoriaeth neu lenorion, er enghraifft, fod yn gwbl sicr mai nhw yw gwir awduron eu gwaith, ac nad rhyw feistri o'r oesoedd a fu sy'n gweithredu drwyddynt. Mae cyfryngydd o'r enw Rosemary Brown yn honni derbyn cyfansoddiadau cerddorol newydd gan Bach, Beethoven, Liszt ac eraill. Credu neu beidio, mae'r ffaith nad oes ganddi hi ei hun fawr iawn o wybodaeth na medr cerddorol, a bod awdurdodau penna'r dydd yn dadlau o blaid ac yn erbyn dilysrwydd y cyfansoddiadau, yn ddiddorol a dweud y lleiaf. Ceir enghreifftiau o arlunio ac ysgrifennu barddoniaeth a rhyddiaith yn y dull hwn hefyd.

YR OCWLT

Term wedi ei fathu i bortreadu maes y paranormal fel rhywbeth drwg a dychrynllyd. Ystyr lythrennol y gair yw 'cuddiedig' neu 'dywyll'. Fel pob maes arall, wrth gwrs, mae popeth yn 'ocwlt' hyd nes i wyddoniaeth ei ddatrys a'i oleuo.

OFERGOELIAETH

Credoau di-sail ymhob maes, daliadau sy'n ffynnu yn bennaf am bethau na ellir yn hawdd eu profi na'u gwrthbrofi â geiriau yn unig. Un o'r meysydd hynny yw'r paranormal. Ofergoel boblogaidd yw fod ysbryd di-gorff a amlyga'i bresenoldeb mewn unrhyw ffordd yn ddrygionus ei natur. Hyn sy'n achosi i lawer o bobl eu hofni. Rhesymol, wrth gwrs, yw credu fod yr holl sbectrwm o bersonoliaethau (o dda i ddrwg) sy'n poblogi'r dimensiynau ysbrydol yn union fel ag a geir ymhlith y byw ar y ddaear hon. Afresymol iawn fyddai credu fod rhyddid i feddyliau di-gorff drwg ymbresenoli yma heb fod yr un rhyddid i rai da hefyd; ac, wrth gwrs, mae digon o hanesion am ysbrydion yn dod â bendith, yn rhoi ymwared rhag poen, ac yn iacháu. Onid ysbrydion da yw fy nhaid a'm nain, a fy mam a'm tad bellach, a llaweroedd o hen ffrindiau? Croeso mawr iddyn nhw un ac oll i alw heibio am sgwrs.

Ofergoel arall a hyrwyddir gan bobl dwp yn aml yw ei bod yn bosibl aflonyddu ar y 'meirw' trwy geisio cyfathrebu â nhw. Mae yma baradocs amlwg, onid oes? Os ydyn nhw'n farw 'does dim modd aflonyddu arnyn nhw! A lol o'r radd flaenaf hefyd yw tybio fod y 'meirwon' mewn trwmgwsg hir.

HELPU MEDDYLIAU DI-GORFF

Ymddengys fod meddwl wedi colli ei gorff ffysegol weithiau yn cael trafferth i ddygymod â'i stad newydd. Digwydd hyn fel arfer pan ddaw marwolaeth yn syrfdanol o sydyn (megis mewn damwain, gan adael llawer o fwriadau heb eu cyflawni ar y ddaear), neu pan mae person wedi cyflawni hunanladdiad am ryw reswm neu'i gilydd, unioni cam er enghraifft, neu ymddiheuro am ryw weithred y teimla'n euog amdani. Gall cyfryngydd da helpu ysbrydion anniddig o'r fath i gael tawelwch meddwl; na, nid i orffwys ond i ddygymod â'u stad newydd a bwrw ymlaen â'u bywyd ym mhresenoldeb perthnasau a chyfeillion a gyrhaeddodd y dimensiwn anffysegol o'u blaenau.

Goleuni

Wedi chwarter canrif o ymddiddori yn y paranormal ac astudio'r pwnc, ceisiaf yma gyflwyno fy nhybiadau a fy namcaniaethau yn fras. Sylwer mai tybio y mae'r gwyddonydd ac nid credu, sy'n golygu ei fod yn fythol barod i newid a gwella ei ddamcaniaethau yng ngoleuni darganfyddiadau pellach.

1. Y meddwl yn ei gyfanrwydd (sy'n golygu yn union yr un peth ag ysbryd ac enaid) yw'r person go iawn: felly ysbrydion ydym un ac oll y foment hon.

2. Yn wahanol i bopeth arall yn y byd ffysegol nid yw meddyliau yn ddarostynedig i amser. Golyga hyn nad ŷnt yn gyfyngedig i fan a lle, nac yn heneiddio, ac felly nad oes iddyn nhw ddiwedd na dechrau chwaith.

3. Mae meddyliau'n defnyddio cyrff ffysegol (sydd ymhob ystyr yn beiriannau) i gyfathrachu â'i gilydd ar wyneb y blaned. Fel pob math o beiriannau, dros gyfnod o amser yn unig y gweithia cyn malu, pryd na all y meddwl a oedd yn gysylltiedig ag o ei ddefnyddio mwyach. Y tebyg yw y gall ddefnyddio peiriant arall sydd ar gael, un ai ar y blaned hon neu mewn bydysawd arall, ac ymddengys y peiriant newydd hwn yn llawn mor real i'w breswylwyr ag yw hwn i ni. Efallai nad oes raid i feddwl fod yn gysylltiedig â chorff o gwbwl ac y caiff ddewis ym mha gyflwr y bodola.

4. Gall meddwl dorri cysylltiad â chorff o'i eiddo dros dro a dychwelyd eilwaith. Tra bo yn rhydd oddi wrth ei gorff gall

ymbresenoli a chael profiad o weld, clywed, ac yn y blaen, mewn unrhyw safle arall. Yn y stad hon o ryddid gall y meddwl fynd yn ôl ac ymlaen mewn amser hefyd i brofi pethau yn y gorffennol a'r dyfodol.

5. Yn y stad o ryddid gall y meddwl ei amlygu ei hunan i bobl trwy ymyrryd â mater, er enghraifft, gwneud sŵn, symud pethau a chreu darluniau o'r hyn a fyn yn ogystal â throsglwyddo gwybodaeth i feddyliau eraill o'i ddewis.

Nid Mor Anhygoel

Ar ôl darllen y sylwadau uchod, gobeithiaf y bydd eich syniadau am fywyd, marwolaeth, ysbrydion ac yn y blaen wedi eu gweddnewid, fel na fydd darllen y llyfr drwyddo yn achosi dychryn na gormod o benbleth pan sylweddolwch y ffaith ei fod wedi ei ysgrifennu gan ysbryd am ysbrydion. Yr unig wahaniaeth rhyngddynt yw fod yr ysgrifennwr yn meddu ar gorff ffysegol ar hyn o bryd, a'r rhai a fu'n dweud eu hanesion wrthym heb yr un, ac o'r herwydd yn dibynnu arnom ni a fu'n seiadu â nhw ym Mryntirion i gyfleu'r hanes i chi'r darllenwyr.

Dylwn ychwanegu mai'r esboniadau uchod yw'r rhai mwyaf tebygol yn fy marn i, ac ar bwys fy mhrofiadau yr wyf wedi eu cynnig yma. 'Does dim gofod i drafod posibiliadau eraill, ond 'rwyf am ichi sylweddoli pa mor anodd yw dod i benderfyniadau terfynol ym maes paraseicoleg. Heb unrhyw amheuaeth mae'r ffenomenâu paranormal yn digwydd, a'r unig dasg a erys yw deall sut a phaham. Er enghraifft, os ewch i weld cyfryngydd da sy'n hollol ddieithr i chi, y tebyg yw y cewch wybodaeth (syfrdanol o gywir weithiau) am ffrind neu berthynas sydd wedi marw. Efallai y cewch berl o wybodaeth, rhywbeth na wyddai neb ond chi'ch hunan a'r ymadawedig amdani. Y cwestiwn sy'n codi yw: ai eich ffrind 'marw' sy'n rhoi'r wybodaeth i'r cyfryngydd ynteu ai meddwl y cyfryngydd sydd yn codi'r wybodaeth o'ch meddwl chi trwy delepathi? Ond pan gewch wybodaeth gan ysbryd sy'n ddieithryn hollol, a darganfod yn nes ymlaen fod y wybodaeth honno yn hanesyddol gywir, rhaid cydnabod y posibilrwydd symlaf, sef fod y meddwl dynol yn goroesi marwolaeth ac o dan amgylchiadau ffafriol yn gallu cyfathrebu â ni wedyn. Pan ymwelai meddwl di-gorff (ysbryd) â ni ym Mryntirion, nid gweld darlun ohono yn unig a wnaem ond bod yn ymwybodol o'i bersonoliaeth gyfan yno gyda ni. Ac ymddengys i ni gael y fraint o fod yng ngŵydd rhai o enwogion ein cenedl o'r oesau a fu, yn ogystal â gwerin-bobl.

Gobeithiaf y cewch fwynhad o ddarllen ymlaen. Wedi'r cwbwl, mae'r holl bethau hyn yn rhan hanfodol o'n cyfansoddiad ni oll, yn bethau na allwn eu hanwybyddu; ac mae meddu ar ryw fath o fap o'r anhysbys, yn ogystal â thipyn o ffydd, yn cryfhau fy hyder i ynghylch fy nyfodol anorfod.

1.

Mae 'na 'Sbrydion o Gwmpas y Lle

Roedd hi'n noson *Samhain*, noson Galan gaeaf, noson hen ŵyl yr Ysbrydion gan y Celtiaid ganrifoedd lawer yn ôl. Roedd yr adeg hon o'r flwyddyn iddyn nhw yn dynodi diwedd yr haf a dechrau'r gaeaf, dechreuad blwyddyn newydd a chylchdro'r tymhorau. Credent mai'r adeg hon o'r flwyddyn oedd dechrau a diwedd pob dim, a dyma hefyd yr adeg pan fydden nhw yn edrych tuag at eu duwiau i geisio deall ystyr bywyd a marwolaeth. Credent hefyd fod y meirw yn atgyfodi ac yn cerdded y ddaear ar y noson hon.

Roedd Eleanor, y wraig, wedi mynd i'r ciosg i ffonio'i chwaer, a phan oedd ar ei ffordd yn ôl, neidiodd Rhodri, y mab acw, allan o ryw gornel dywyll gan ei dychryn. Yn aros gyda ni y noson honno roedd Trefor ei brawd. A hithau yn adrodd hanes Rhodri yn ei dychryn, dywedais innau yn gellweirus: 'Mi fydd 'na lawer o ysbrydion o gwmpas y lle 'ma heno.'

'Mae 'na 'sbrydion,' meddai Trefor, yn annisgwyl.

Edrychais arno, ac roedd braw yn ei lygaid.

'Oes 'na?' gofynnais.

'Oes, mi ydw i wedi gweld un,' atebodd.

Ni wyddwn i ddim o gwbl am y byd ysbrydol ar y pryd. Nid oeddwn wedi gweld yr un ysbryd nac wedi cael profiad o unrhyw fath yn ymwneud ag ysbrydion.

'Wel, be' welest ti, 'te?' gofynnodd Eleanor. Adroddodd yntau'r hanes am y profiad a gafodd.

19

'Mi oeddwn i wedi bod yn nhafarn Yr Arf ym Maerdy, ar ochor ffordd fawr yr A5 ger Corwen, un noson ychydig yn ôl. Tua naw o'r gloch cychwynnais am adre' gan fy mod i isio codi am bump y bore wedyn. Mi es i i'r fan a thanio'r injian, ac mi weles i ddyn yn cerdded i lawr maes parcio'r dafarn o gyfeiriad Betws Gwerful Goch, ac yn dwad i'w gole. Feddylies i 'mod i'n 'nabod 'i osgo, a rhois y gole ar y fan. Erbyn hyn roedd o wedi dod yn fwy i ole'r dafarn a gwelwn 'i fod o mewn dillad duon, a feddylies i wedyn mai plismon oedd o. Gan fy mod wedi ca'l ychydig o ddiod arhosais lle'r oeddwn, rhag ofn. Cerddodd y dyn i fewn i ole'r fan gan sefyll tua chwe throedfedd oddi wrthi. Rhewais yn stond. 'Allwn i ddim symud na bys na bawd. Roedd fy nwylo wedi rhewi am y *stiring* a 'fedrwn i ddim 'u ca'l nhw'n rhydd, ac roedd yna ryw iasau mawr yn mynd trwydda' i, achos roedd y dyn oedd yn sefyll yno yn gwisgo côt hir fel côt Armi a 'sgidie cryfion am 'i draed; ond 'doedd gyno fo ddim pen a finne'n sbïo arno fo a ddim yn gw'bod be' i' 'neud, ond yn sydyn dyma fo'n diflannu i rywle. Mi oeddwn i wedi dychryn am fy mywyd ac yn oer drosta' i gyd. Ymhen ychydig mi ddois ata'n hun ac i ffwrdd â fi, hynny âi'r fan, ond mi oeddwn i'n teimlo'i fod o yn y fan efo fi.'

Roedd golwg frawychus arno wrth iddo adrodd yr hanes, ac roedd ei ddychryn yn ddigon i'm hargyhoeddi ei fod wedi gweld rhywbeth.

''Tydw i ddim wedi deud yr hanes wrth neb, neu mi fydde pawb yn g'neud hwyl am 'y mhen i,' meddai Trefor.

Ymhen pythefnos i'r diwrnod, aeth i dŷ cyfaill iddo ym Maerdy a oedd yn weddol agos at y dafarn, ac meddai'r cyfaill wrtho:

'Glywest ti hanes y brawd bach y noson o'r blaen?'

'Naddo, be' ddigwyddodd?' gofynnodd yntau.

'O, mi gafodd o gythrel o fraw. Mi oedd o'n mynd yn slo bach ar y ffordd tua un ar ddeg y nos rhwng tafarn Yr Arf a phentre' Betws, pan ddaeth 'na ryw ddyn allan o'r wal ar ochor y ffordd, trwy du blaen y car ac i mewn i'r wal yr ochor arall, a 'doedd gyno fo yr un pen, medde fo, ond Duw, 'welodd o ddim byd, w'sti. Ffwndro mae o, ond mae o'n bendant 'i fod o wedi'i weld o, a mae o wedi ca'l cythrel o fraw.'

Roedd y stori'n cadarnhau yr hyn a welodd Trefor ei hun yr un noson, a dim ond dwy awr oedd rhwng y ddau ddigwyddiad. Cefais wybod ymhen tipyn wedyn fod yna berson arall wedi gweld y dyn heb ben ar ffordd y Betws ar yr un noson yn union.

Digwyddodd rhywbeth rhyfedd i'r un perwyl i Gwilym Tudur, Siop y Pethe, Aberystwyth. Roeddwn yn ei ddisgwyl acw, gan ei fod wedi trefnu aros gyda mi un noson i dorri'r siwrnai ar ei ffordd o Bwllheli i Aberystwyth. Pan gyrhaeddodd tua deg o'r gloch roedd yn amlwg fod rhywbeth yn bod arno, oherwydd roedd ei wedd yn llwyd ac edrychai fel bod rhywbeth wedi ei gynhyrfu. Adroddodd yr hanes.

'Mi oeddwn i'n dwad ar hyd y ffordd wrth Lyn Celyn. Roedd hi'n niwl trwchus, ac yn sydyn roedd yna ddau ddyn yn sefyll ar ganol y ffordd, a chyn i mi fedru stopio'r car mi es i trwyddyn nhw; ond, 'nes i ddim teimlo cnoc o gwbwl ar y car. Mi es i allan efo lamp i chwilio amdanyn nhw, ond welis i ddim byd. Cerdded yn ôl i'r car a bacio'n ôl, ond 'doedd yna ddim sôn o gwbwl am neb, ac mi ydw i'n bendant 'mod i wedi mynd trwy'r ddau.'

Wedi iddo eu disgrifio gwyddwn yn iawn am bwy roedd yn sôn. Roedd yn ddisgrifiad perffaith o ddau a arferai fyw yn y cylch, ond sydd wedi croesi ers tro, ac mi oeddwn i wedi eu hadnabod erioed.

Digwyddodd rhywbeth cyffelyb yn yr un ardal i wraig o gylch Y Bala. Daeth ataf ar y stryd gan ddweud ei bod eisiau gair efo fi, ac adroddodd ei stori.

''Dwi'n gw'bod y medra'i siarad efo chdi, ond ma' nhw'n chwerthin am 'y mhen i adre', ac yn meddwl 'mod i'n ffwndro. Mi es i â phlant y ferch i weld Llyn Celyn ym 1989 pan oedd o wedi sychu, parcio'r car ar ochor y ffordd a mynd i lawr at safle tŷ Hafod Fadog, ac yn sydyn dyma 'na ddyn yn cerdded ata'i, ond 'doedd o ddim yn ddyn go iawn. Mi oedd o'n trio deud rhywbeth wrtha' i ond 'doeddwn i ddim yn 'i ddallt o, ac mi roddodd rywbeth tebyg i wrthban dros fy 'sgwydde. Mi ges i gythrel o fraw, a 'fedrwn i'm symud am 'chydig. Wedyn mi gydies yn y plant a mynd yn ôl i fyny'r llechwedd i'r ffordd cyn gynted â fedrwn i, a mi own i'n 'i glywed o yn dod ar ein hôl, achos mi oedd o'n colli'i wynt wrth ddod i fyny'r allt ar ein hôl. Mi redes at y car a phan 'steddes i yn y sêt, mi oedd y dyn yma yn 'iste' wrth fy ochor i, ac mi oeddwn i'n mygu'n gorn, fel pe bai rhywbeth yn gwasgu am 'y ngwddw i, ac yn fy mraw mi waeddes 'Cer o 'ma' dros y lle. A mi ddiflannodd i rywle, a 'does gen i ddim syniad i ble. Un eiliad mi oedd o'n 'iste' wrth fy ochor i a'r eiliad nesa' 'doedd o ddim yno, ac ar ôl hynny mi ddaeth fy ngwynt i ato'i hun; ond yn bendant mi oedd y dyn yn 'iste' yno.'

Nid oedd ganddi syniad pwy oedd yr enaid hwn. Ni fedrai ei ddeall yn siarad, ond, yn sicr, roedd rhywun yno.

Ym 1993 penderfynodd y wraig a minnau symud i dŷ mwy. Roedd angen ei garpedu, a gwyddem fod yna dŷ mawr gyda charpedi fel newydd ynddo wedi ei werthu yn y dref. Pryn'som y carpedi i gyd, ond roedd yn rhaid i ni eu codi, ac un bore Sadwrn aeth Eleanor a minnau gyda ffrind o'r dref i ddechrau arni. Golygai hyn gryn dipyn o waith inni, gan fod y lle yn llawn dodrefn a gwlâu.

Codwyd y carpedi yn yr ystafelloedd i gyd ond am un 'stafell ar y llawr isaf. Aethom i mewn i'r ystafell hon ac roedd rhywbeth yn rhyfedd iawn ynddi. Roedd mor oer â phe baem ni wedi cerdded i mewn i rewgell, a rhyw wynt oer yn troi o gwmpas fy ngwddw. Dechreuodd rhyw iasau mawr gychwyn ar waelod fy nghefn a mynd i fyny hyd at fy mhen. Nid oedd gennyf syniad yn y byd beth oedd yn digwydd oherwydd nid oeddwn wedi cael y fath brofiad o'r blaen.

Yn sydyn, dyma glec uwch ein pennau yn un o'r llofftydd fel pe bai rhywun wedi cau drws ar ei ôl gyda chlep. Edrychem yn syn ar ein gilydd, gan fy mod i wedi cloi'r drysau allanol i gyd. Gwyddem nad oedd neb i fod yn yr adeilad. I fyny â ni i'r llofftydd ar unwaith. Roedd drysau tân arnyn nhw i gyd a'r rheini wedi cael eu cau. Aed trwy bob un ohonyn nhw a 'doedd dim i'w weld yn unman, dim ond y gwlâu, a'r rheini yn wag; ond yn y llofft olaf roedd dau wely ac yn yr un agosaf atom gwelwn siâp rhywbeth, rhywbeth yr un siâp â chorff gyda'r gwrthbanau wedi eu taenu drosto yn ddestlus. Cerddais ato yn araf gyda'r galon yn curo fel peiriant golchi wedi'i orlwytho, a phan oeddwn o fewn hyd braich iddo, ymestyn yn araf bach gan luchio'r gwrthbanau oddi arno a chanfod, er mawr ryddhad i'r tri ohonom, mai rhes o glustogau wedi eu gosod yn ddestlus ar hyd ei ganol oedd ynddo.

Aethom i lawr i'r 'stafell oer i orffen y gwaith o godi'r carped ac o fewn dim dyma glec arall uwch ein pennau. I fyny â ni unwaith yn rhagor, ond nid oedd yno ddim. Digwyddodd y clecian yma bum gwaith i gyd tra oeddem yn y 'stafell oer, a dwy waith o gyfeiriad drws y cefn, ond er chwilio yn y fan honno nid oedd dim i'w weld yn unman. Nid oedd gennym syniad beth oedd yn mynd ymlaen yno a rhoddwyd y bai ar bobl y drws nesaf. Roedd y tŷ hwnnw wedi bod yn rhan o'r tŷ yr oeddem ynddo flynyddoedd yn ôl. Ni chlywyd unrhyw sŵn na dim yn yr ystafelloedd eraill hyd nes inni gyrraedd y llofft olaf.

Roedd yn dechrau nosi erbyn hyn ac nid oedd gennym olau o unrhyw fath yno, gan fod y trydan wedi ei ddatgysylltu ers blynyddoedd. Tra bu Eleanor a Gwyn yn cwblhau'r gorchwyl yn y 'stafell olaf ond un, mi es innau i'r un olaf i gychwyn yno er mwyn i ni gael gorffen y gwaith cyn iddi fynd yn rhy dywyll. Pan gerddais i mewn i'r 'stafell hon roedd yn chwilboeth, ac ni fedrwn ddeall pam, oherwydd roedd yr ystafelloedd eraill, ar wahân i'r un oer ar y llawr isaf, i gyd yn iawn. Edrychais drwy'r ffenestr ac roedd lampau'r stryd wedi eu goleuo, ond yr hyn a'm cynhyrfodd oedd gweld rhyw gysgodion yn gwibio yn ôl ac ymlaen ar draws y ffenestr. Sefais yno yn syllu'n hurt arnyn nhw, a thybiais fod coeden y tu allan, fod gwynt wedi codi, a bod golau'r stryd yn taflu'r cysgodion oddi arni, ond eto gwyddwn yn iawn nad oedd yno goeden. Ond beth arall a allai fod yno? Yna, yn sydyn, teimlais yr un iasau eto yn cychwyn ar waelod fy nghefn ac yn cripian yn raddol hyd at fy mhen. Erbyn hyn roedd Eleanor a Gwyn wedi gorffen yn y 'stafell arall, ac wedi dod i estyn cymorth imi yn y 'stafell boeth, ac roedd hi'n prysur dywyllu. Ymhen ychydig dyma anferth o glec wrth fy ochr fel pe bai rhywun wedi taro carreg â gordd, ac wedyn cododd drewdod ffiaidd gan dreiddio drwy'r lle. Ni fedrem aros yn y 'stafell gan fod y drewdod yn ein mygu'n gorn. Rhuthrodd Gwyn i agor y ffenestr ac aeth y tri ohonom allan i ben y grisiau i aros i'r drewdod glirio.

Ymhen tua deng munud aethom yn ôl iddi, ac roedd y drewdod wedi gwella'n arw. Gorffennwyd y gwaith ac aethom oddi yno, ond ni allem roi unrhyw esboniad am y fath ddrewdod dieithr. Nid arogl corff yn madru mohono na drewdod cig o unrhyw fath, nac unrhyw beth arall y gallem feddwl amdano, a buom yn dyfalu am hir ar ôl cyrraedd adref beth yn union oedd y drewdod hwn, a pham mai dim ond yn y 'stafell olaf un y cafwyd o? Ond nid oedd yr un ohonom yn gallu cynnig unrhyw esboniad rhesymegol. Aethom yn ôl i'r tŷ y bore canlynol i gludo'r carpedi oddi yno, ac ni ddigwyddodd dim.

Ddwy noson yn ddiweddarach aeth Eleanor a minnau yn ôl i'r tŷ gyda gŵr a gwraig a oedd wedi bod yn byw yno, er na wyddwn i hynny ar y pryd. Aethom o gwmpas y lle yng ngolau lamp fatri, trwy'r gegin a'r 'stafell fyw heb i ddim byd anghyffredin ddigwydd, ond ymhen ychydig o eiliadau wedi i ni fynd i'r 'stafell oer ar waelod y grisiau, dyma 'na glec uwch ein pennau o gyfeiriad y llofftydd, clec a oedd yn union yr un fath â'r glec a glywsom ddeuddydd ynghynt, ac meddai'r gŵr a oedd gyda ni: 'Ma'r diawl yn dal yma.' Roedd braw yn ei lais.

'Be' sy' 'ma?' gofynnais innau.

'Wel, 'dwn i ddim. Mi fuon ni'n byw yma am flwyddyn a hanner. Gad i ni fynd o'ma. Mae 'na rywbeth mawr yn bod yma. Mi ddeuda' i wrthoch chi ar ôl mynd adre',' atebodd.

Roeddwn wedi gwerthu rhai celfi iddo cyn mynd i'r 'stafell oer, ac roedd yn rhaid i ni lwytho'r cyfan i'w fan gefn agored. Er ei fod wedi prynu digon i wneud dau lwyth, roedd yn bendant nad oedd am ddod yn ei ôl i gasglu llwyth arall, a bu'n rhaid inni osod y cyfan ar ben ei gilydd, nes bod andros o lwyth arni. Wedi cyrraedd ei gartref cafwyd yr hanes hwn ganddo.

''Tydw i ddim yn gw'bod be' sy' 'na'n y lle 'na, ond ambell noson pan oedd hi'n dechre t'wllu mi oedden ni'n gweld dyn y tu allan wrth y ffenest. Mi oedd o'n gwisgo het a chôt ddu, ac weithie mi fydde fo'n cnocio'r ffenest, a bydden ni'n 'i weld o'n gliriach os oedd hi'n bwrw glaw mân. Er i ni fynd allan i weld pwy oedd o, 'doedd neb yno byth. Dro arall mi fydde rhywun yno yn cnocio'r drws cefn sydd yn ymyl y ffenest, a bydden ni'n clywed sŵn clicied y drws yn cael ei chodi fel 'tase rhywun wedi'i agor o, ond 'doedd neb yno.'

'Oeddet ti'n 'i 'nabod o?' gofynnais.

'Nac oeddwn i. 'Weles i 'rioed mono fo o'r blaen, ond yr un un oedd o bob tro bydde hyn yn digwydd. 'Dwi'n cofio ni'n ca'l cinio un d'wrnod, dim ond y wraig a fi. 'Doedd neb arall yn y tŷ, a dyma ni'n clywed sŵn rhywun yn cerdded yn y llofft uwch ein penne, a sŵn drws yn cau. Roeddem yn sbïo'n hurt ar ein gilydd, achos 'doedd neb i fod yno, ac er i ni chwilio'r llofftydd 'doedd dim i'w weld yn unlle.'

Aeth ymlaen â'i stori.

'Mi fuon ni'n cadw gwely a brecwest yno hefyd, ac un noson daeth dyn du at y drws isio aros y noson acw. Mi a'th o i'w wely tua un ar ddeg. Ymhen ychydig amser, dyma fo'n dyrnu drws ein llofft ni, a chwyno ei bod hi'n oer yn 'i lofft o. Gofynnodd imi am flancedi er'ill ar gyfer 'i wely o. Mi es i i 'nôl un iddo fo, ond mewn hanner awr roedd o yn ei ôl isio un arall. Mi gafodd un, ond cyn pen fawr o dro mi oedd o'n dyrnu'r drws eto ac yn cwyno fod y gwely a'r llofft yn oer. Mi gafodd o bump o flancedi i gyd, ond 'chysgodd o ddim drwy'r nos, na ninne chwaith. Mi ddaru o'n cadw ninne'n effro hefyd. Roedden ni'n 'i glywed o'n cerdded o gwmpas y llofft, wedyn mi fydde fo'n agor drws 'i lofft a cherdded ar y landin, ac felly fuodd o drwy'r nos, a ninne'n gwrando arno fo ac yn methu cysgu. Pan ddaeth o i lawr i gael 'i frecwest yn y bore, mi oedd yna olwg arno fo, fel 'tase rhywbeth wedi'i ddychryn o'n ofnadwy. Mi f'ytodd 'i fwyd heb ddeud yr un gair wrthon ni ac wrth gychwyn o 'cw dyma fo'n deud: "*I haven't slept all night. This house is evil and there are evil things going on here. I will never come here again*".'

Adroddodd stori arall.

'Un noson roedd 'na bobol ddiarth yn aros yn y llofftydd i gyd, ac roedd y wraig a finne yn cysgu yn y 'stafell gefn ar y llawr isa'. Mi aethon ni i'r gwely tua hanner awr wedi un ar ddeg, ac roedd hi'n noson leuad braf a 'nes i ddim tynnu'r cyrtens am y ffenest. Rhywbryd yn orie mân y bore mi ges 'y neffro gan rywbeth, a phan agorais fy llygaid roedd andros o ddyn mawr tal, yn sefyll rhwng y ffenest a finne yn ymyl y gwely. Mi oedd o i'w weld yn blaen achos roedd hi'n ole lleuad. Mi ges i gythrel o fraw ac mi neidiais allan o'r gwely. Mi oeddwn i'n meddwl ar yr eiliad honno mai fy mrawd oedd wedi dwad acw, ond mi ddiflannodd y dyn i rywle. 'A'th o ddim drwy'r drws, dim ond diflannu, a 'does gen i ddim syniad pwy oedd o nac i ble'r a'th o.'

Bu'r digwyddiadau rhyfedd yma yn mynd ymlaen yno trwy gydol yr amser y buont fyw yn y lle, ac ni fedrent roi eglurhad amdanyn nhw na pham fod y pethau hyn yn digwydd; ond roedden nhw'n ofnus yno, ac yn y diwedd penderfynwyd gwerthu a symud i dŷ arall.

Sylweddolais, ar ôl gwrando ar yr hanes, fod yna rywbeth goruwchnaturiol yn y lle hwn, ond nid oedd gennyf ddim syniad ar y pryd fy mod yn meddu ar y ddawn i gysylltu ag ysbrydion, hyd nes imi gyfarfod ag Aelwyn Roberts, Llandygái, a'r Prifardd Elwyn Roberts, sydd yn seicic, a nhw ill dau a eglurodd i mi fy mod innau'n seicic, neu ni fyddwn wedi cael y profiad a gefais yn y tŷ.

Ers hynny rydw i wedi cael llawer iawn o brofiadau gyda'r byd ysbrydol. Ar y dechrau roeddwn yn ofnus, gan na wyddwn yn iawn sut roedd pethau'n gweithio na beth a fyddai'n digwydd; ond ar ôl y tro cyntaf y bu imi ymhél ag ysbrydion yng nghwmni'r ddau hyn, ciliodd yr ofn, gan nad oes, mewn gwirionedd, ddim byd i'w ofni. Ni fedr yr un ysbryd wneud niwed i neb. Os oes yna un neu ragor yn aflonyddu ar bobl yn eu tai, yna mae'n fwy na thebyg mai angen cymorth sydd arnyn nhw, gan na fedrant fod yn dawel eu meddwl ar yr ochr draw, hynny yw, os ydyn nhw wedi llwyddo i groesi i'r ochr draw. Pan mae rhywun yn ymadael â'r fuchedd hon, mae'r meddwl, neu'r enaid, yn gadael y corff yn syth, ac os yw'r person wedi marw'n naturiol, yna mae'n fwy na thebyg y bydd yn dawel y tu hwnt i'r llen; ond os bydd rhywun yn marw'n gythryblus yn ei wely a rhywbeth yn pwyso ar ei feddwl, ac yntau yn dihoeni o'r herwydd, yna mae'n bosibl iawn na fydd yn dawel

ar ôl croesi. Mae'r rhan fwyaf o'r eneidiau sy'n methu dygymod
â'r byd ysbrydol, sef yr ysbrydion sy'n poeni'r byw, wedi mynd i'r
bedd drwy ddamwain neu ar ôl cyflawni hunan-laddiad, neu yn
teimlo iddynt gael cam ac yn awchus i ddweud hynny wrth y byw
ar ôl i'r byd a'i bethau fynd yn drech na nhw. A phwy ydym ni
i'w beirniadu am hyn?

Mae'r rhan fwyaf o'r ysbrydion y cwrddais i â nhw yn weddol
dawel eu meddwl ac yn medru croesi yn ôl o'r byd nesaf i'r byd
yma fel y mynnant, ond mae rhai eraill sydd yn methu mynd yn
eu blaenau i'r byd nesaf. Maen nhw'n ysbrydion sy'n methu gadael
y ddaear, a'r rhain sydd yn achosi poendod a braw i bobl, ond cri
am gymorth sydd yma, er mwyn medru croesi i'r ochr arall, a
lleddfu'r meddwl. Mae'n anodd iawn argyhoeddi rhai pobl, nad
ydyn nhw wedi cymuno a chyfathrebu ag ysbrydion, fod y byd
arallfydol hwn yn bodoli o gwbl. Mae rhai yn dweud mai yn y
meddwl y mae'r cyfan, ac yn hyn o beth maen nhw'n iawn, wrth
gwrs. Onid yn y meddwl mae'n hymwybyddiaeth o'r byd ysbrydol
hefyd? Drwy'r meddwl y mae'r cysylltiad gyda'r ysbryd yn
gweithio. Nid dychymyg dyn ydyw fel y tyb rhai. Mae'r dychymyg
yn rhywbeth hollol wahanol, ymwybyddiaeth real yw fod y ddau
yn hanu o'r meddwl. Mae yna lawer o bobl yn seicic ond 'dydyn
nhw ddim yn sylweddoli hynny. Mae yna hefyd wahanol raddau
o seicyddiaeth. Nid pob seicic yn unig sydd â'r ddawn i weld
ysbrydion, ond os yw'r ddawn gan rywun o gwbl, yna, mae'n
bosibl ei meithrin fel unrhyw ddawn arall, a gorau po fwyaf o'i
hymarfer a wneir.

Rydw i wedi bod yn adrodd hanes fy mhrofiadau ysbrydol gyda
gwahanol gymdeithasau, ac mae'r gynulleidfa fel arfer yn ym-
rannu'n dair carfan, sef y rhai nad ydyn nhw'n credu yr un gair a
ddywedaf, gan dybio fy mod yn cyboli'n arw; y rhai sy'n amheus,
ond sy'n fodlon cyfaddef a chydnabod y gallwn fod yn dweud y
gwir; a'r rhai sydd wedi cael profiadau goruwchnaturiol o ryw fath
eu hunain, ond eu bod yn amharod i gydnabod hynny yn
gyhoeddus am wahanol resymau, megis ofn gwirioneddol, neu
ofn i bobl wneud hwyl am eu pennau a'u gwawdio pe bydden nhw

yn ailadrodd eu profiadau. Bydd rhai o'r bobl hyn sy'n perthyn i'r drydedd garfan yn dod ataf ar y diwedd i ddweud am y profiad y maen nhw wedi'i gael. Er mor gymysg yw pob cynulleidfa, mae pawb sy'n dod i wrando arnaf yn ymddiddori ac yn ymgolli yn yr hanesion a adroddaf wrthyn nhw.

2.

Y Seicic

Er bod llawer iawn o bobl onid pawb yn seicic i ryw raddau, 'dydyn nhw ddim yn sylweddoli fod y ddawn hon ganddyn nhw, a phan ddigwydd rhywbeth fel gweld ysbryd, neu deimlo rhyw bresenoldeb mewn tŷ neu mewn unrhyw fan, maen nhw'n cael braw ac un ai yn rhedeg am eu heinioes neu'n rhewi'n stond. Mae adwaith o'r fath yn beth digon naturiol gan nad yw'r person sy'n gyfrannog o'r profiad yn gwybod pam y mae pethau o'r fath yn digwydd iddo, a hefyd mae'r rhan fwyaf o bobl yn credu fod marwolaeth yn ddiwedd bywyd; ond nid y bedd yw diwedd y daith yn fy marn i. Mae yna ddigonedd o hanesion a thystiolaeth gan bobl sydd wedi gweld rhywun y gwyddant yn iawn ei fod wedi ein gadael ers amser, ar ôl llawer o flynyddoedd mewn rhai achos-ion, ac nid yw'n ymddangos yn rhesymol iddyn nhw eu bod yn ei weld, Ond mae rheswm dros yr ymweliad. Gwn am enghreifft-iau o rai sydd wedi cael eu lladd mewn damwain neu wedi cyflawni hunanladdiad yn ymddangos i rywun ar yr union ddyddiad y digwyddodd y trychineb iddynt. Efallai fod hyn wedi digwydd amser maith yn ôl, ond mae'r ysbryd yn ymddangos bob blwyddyn i'r adeg y bu iddo groesi i'r tu hwnt. Os gall rhywun weld neu synhwyro presenoldeb ysbryd, yna mae'r ddawn ganddo i'w dat-blygu dan gyfarwyddyd rhywun sy'n hyddysg yn y maes, ond mae anwybodaeth ac ofn yn rhemp yn y byd sydd ohoni heddiw, gyda rhai pobl yn dwrdio ysbrydegwyr am ymhél â'r eneidiau hyn. Yn sicr ddigon, ple am gymorth sydd gan yr ysbryd, cymorth i'w alluogi i groesi a datblygu yn ei amgylchfyd newydd, gan na fedr wneud hynny ar ei ben ei hun am wahanol resymau. Gwaith a dyletswydd y cyfryngydd yw ei gynorthwyo i fynd yn ei flaen fel y caiff fodloni yn dawel yn y byd nesaf.

Mae'r seicic sydd wedi llwyr feistroli'r ddawn hon yn gallu lleddfu pryder yr eneidiau hyn, ac maent hwythau yn gwybod hynny yn iawn a dyna pam y maen nhw yn cysylltu ag o neu yn aml hefo rhywun sydd â'r ddawn ganddo ond sydd heb ei pherffeithio. Mae'r ysbryd yn rhoi gwybod ei fod yno, y fo neu hi sydd yn cysylltu gyntaf bob tro, oni bai fod rhywun yn mynd ati i geisio presenoldeb yn fwriadol. Pan ddigwydd hynny, 'does wybod pwy a ddaw, ond nid yw hyn wedi digwydd yn fy mhrofiad i, dim ond pan mae rhywun yn cael ei boeni ac yn gofyn inni fynd yno.

Yr hyn y mae angen i'r seicic ei wneud cyn y gall ysbryd fenthyca ei gorff yw llacio gafael ar ei amgylchfyd ei hun fel bod yna ddau lun o'r un person i'w weld; hynny yw, mae'r seicic yn eistedd ar gadair, dyweder, ac mae'n medru gwneud i'w enaid adael ei gorff, a'r enaid yw'r ysbryd wrth gwrs. Gall y seicyddion eraill sydd gydag o yn yr ystafell weld hyn yn digwydd. Mae yna ddau gorff o'r un person i'w weld, sef y corff ei hun, yr un o gig a gwaed, ac enaid y person hwnnw. Gall gerdded o gwmpas y 'stafell a mynd yn ôl i'w gorff ei hun. Wedi i rywun lwyddo i wneud hyn mae'n agored i ysbrydion ddefnyddio ei gorff, drwy ei feddiannu ac ymddangos ar y person hwnnw neu sefyll wrth ei ochr. Pan ddigwydd hynny, mae'r ysbryd yn dweud beth sydd yn ei boeni drwy ateb y cwestiynau a ofynnir gan weddill y cwmni,

Pan mae'r seicic sy'n mynd i roi benthyg ei gorff dros-dro i'r ysbryd wedi ymlacio, ac yn canolbwyntio ar ei dasg, yna gall pethau ddechrau digwydd. Mae'n medru gweld darluniau sy'n gysylltiedig â'r ysbryd sy'n agosáu. Gall weld sefyllfaoedd a digwyddiadau sydd wedi bod ganrifoedd a miloedd o flynyddoedd yn ôl; hynny yw, mae'r ysbryd yn eu dangos iddo ac mae yntau yn disgrifio'r hyn y mae'n ei weld,

Mae'r iaith a ddefnyddir gan ysbrydion yn bwnc diddorol.

Efallai nad yw'r ysbryd yn medru siarad Cymraeg, er enghraifft, a hwyrach mai Eidaleg neu unrhyw iaith arall oedd ei iaith pan oedd yn fyw ar yr ochr yma, ac felly dyna yw ei iaith ar yr ochr draw hefyd. Pan ddigwydd hyn mae'n dod â chymhlethdod i'w ganlyn. Os na all aelod o'r cwmni siarad ei iaith mae'n amhosibl cael trafodaeth gydag o, ond os oes rhywun sy'n medru iaith yr ysbryd yn bresennol, er nad yw'r seicic y mae'r ysbryd wedi ei feddiannu yn ei medru hi, nid yw'n creu unrhyw broblem, oherwydd mai'r ysbryd sy'n ateb y cwestiynau ac nid y seicic. Digwyddodd hyn sawl tro yn fy mhrofiad i. Bydd y seicic yn siarad iaith nad yw wedi medru ei siarad erioed o'r blaen yn ei fywyd. Gall weld darluniau a delweddau sy'n gysylltiedig â'r ysbryd, ac mae'n derbyn negeseuon gan yr ysbryd. Yr ysbryd sy'n llefaru trwyddo fo.

Er ein bod wedi dod i gysylltiad â phobl sydd wedi marw ers canrifoedd, a'r rheini'n medru'r Gymraeg, mae rheswm yn dweud nad yr un iaith yn union ydyw hi heddiw. Mae ieithoedd wedi newid yn barhaol dros y canrifoedd. Ni fedrwn siarad Cymraeg y ddeuddegfed ganrif, er enghraifft, heb ei hastudio'n fanwl dan oruchwyliaeth; ond pan mae ysbryd o'r oes honno yn cysylltu â'r seicic, yn iaith heddiw y mae'r drafodaeth. Cyfieithir y geiriau yn y meddwl cyn iddyn nhw gael eu trosglwyddo.

Er mai profiadau mewn un tŷ sydd yn cael eu hadrodd o hyn ymlaen, y ffaith yw ei bod yn bosibl i'r seicic gysylltu hefo'r byd nesaf mewn unrhyw fan neu unrhyw dŷ neu adeilad drwy agor ei feddwl, ymlacio a myfyrio'n ddwfn a thrwy wneud hyn daw deiliaid y byd nesaf i gysylltiad ag o, efallai fod yno lond stryd o bobl i'w gweld ond ambell un sydd â rhywbeth i'w ddweud fydd yn cysylltu.

Canodd y ffôn un noson ac roedd Rhodri fy nghyfyrder ar y pen arall â phryder yn ei lais.

'Ma' 'na rywbeth rhyfedd iawn yn mynd ymlaen yn y tŷ 'ma,' meddai. 'Pan ddaru ni godi bore 'ma, mi oedd y cypyrdde bwyd i gyd wedi cael 'u tynnu oddi wrth y wal ac wedi ca'l 'u malu'n rhacs gan rywbeth neu rywun. Mi oedd gynnon ni boteli a jarie jam gweigion mewn un gornel yn yr un 'stafell, ac ma'r rheini i gyd yn deilchion; ond 'dydyn nhw ddim wedi ca'l 'u malu fel mae gwydyr yn malu wrth ddisgyn. Ma'r cwbwl yn flawd mân, a 'does gen i ddim syniad be' sy' 'di g'neud hyn, a ddaru ni ddim clywed sŵn yn y nos o gwbwl. 'Does 'na ddim ôl neb wedi torri i mewn i'r tŷ. Ma' 'na rywbeth mawr yn bod yma, ac ar ben hyn ma' Meiriona yn gweld Lyn ei brawd wrth draed y gwely o hyd. Mi ydw i 'di ffonio Elwyn Roberts a mae o 'di deud wrtha' i am dy ffonio di i drefnu i ddwad draw acw.'

Gwyddwn yn syth fod rhywun cas iawn yno, ac mai dyna pam roedd y cypyrddau a'r poteli wedi cael eu malu fel hyn, ond roedd yna bosibilrwydd arall hefyd. Mae plant yn gallu creu ynni mawr iawn heb fod yn ymwybodol eu bod yn gwneud hynny, yn ôl yr arbenigwyr, ac mae pump o blant yn y tŷ hwn. Ffoniais Elwyn yn syth a chysylltais â'r Parchedig Aelwyn Roberts, Llandygái, a threfnwyd ar ddyddiad i fynd yno. Gwyddwn fod Lyn, brawd Meiriona, wedi ei ladd ei hun yn Llundain tua phedwar mis ynghynt. Ni wŷr neb paham y gwnaeth hyn, gan nad oedd unrhyw reswm amlwg i gyfrif am y weithred. Roeddwn yn ei gofio'n iawn gan ei fod wedi ei fagu yn yr un ardal â mi, ac roeddwn yn adnabod y teulu ers blynyddoedd lawer. Roedd yn ei ddeugeiniau, yn briod gyda dau o blant ac yn fargyfreithiwr, ac roedd yn ddirgelwch i bawb a'i hadnabu pam roedd wedi cyflawni'r weithred anffodus hon.

Mae Bryntirion, cartref Meiriona a Rhodri, yn ffermdy hynafol tua phedair canrif oed, wedi ei adeiladu ar y llethr uwchben Llyn Tegid ym mhlwyf Llangywair, a chodwyd estyniad iddo rywbryd yn ystod y ganrif ddiwethaf. Mi es i draw i'w gweld er mwyn cael yr hanes i gyd ganddyn nhw cyn i'r tri ohonom fynd yno i geisio cael gwared â'r hyn a'u poenai, a chefais ar ddeall fod eraill yno, yn ogystal â Lyn, y brawd. Roedden nhw yn synhwyro presenoldeb mewn 'stafelloedd eraill yn y tŷ, ac wedi cael profiadau eraill yno hefyd.

Un noson arhosai tad Rhodri gyda nhw, ac aeth i'w wely â'i gap ar ei ben gan fod y llofft yn oer. Cododd yn y bore ond nid oedd golwg ar ei gap yn unman. Chwiliodd amdano yn y gwely a'r llofft yn drwyadl, ond nid oedd sôn am y cap, ac yntau'n gwybod yn iawn ei fod yn ei wisgo pan aeth i'r gwely y noson gynt. Fisoedd yn ddiweddarach, cafwyd hyd i'r cap wedi ei wthio dan ddilladau yn y twll-dan-grisiau, ac nid oes ganddyn nhw syniad sut yr aeth yno. Dro arall roedd yn gwarchod y plant tra oedd Rhodri a Meiriona yn ymweld â ffrindiau. Cwympodd i gysgu yn y gadair freichiau. Pan ddeffrôdd teimlai bresenoldeb rhyfedd yn y 'stafell, rhywbeth nad oedd wedi ei gael erioed o'r blaen ac ni allai amgyffred y peth o gwbwl. Beth bynnag ydoedd, fe godai ofn arno. Aeth o'r gegin i 'stafell arall yn y tŷ. Roedd potel wag ar fin y bwrdd yn y gegin a phan ddaeth yn ei ôl roedd wedi disgyn ar y llawr ac wedi malu'n llwch mân heb ddim rheswm o gwbwl. Ni chlywodd y botel yn disgyn ond roedd yn amlwg fod rhywbeth goruwchnaturiol wedi malu'r botel hon.

Cafodd Meiriona brofiad cas iawn un diwrnod. Aeth i dorri coed tân i'r ysgubor. Ymhen ychydig cafodd y teimlad fod rhywun yno yn ei gwylio. Edrychodd o'i chwmpas ond nid oedd neb i'w weld yn unman, ac anwybyddodd y teimladau, ond ymhen ychydig funudau, synhwyrodd bresenoldeb eto ac edrychodd o'i chwmpas, ond 'doedd neb yno. Digwyddodd edrych i fyny i'r nenfwd ac yno ar un o'r trawstiau fe welai ffurf dyn yn hongian gyda rhaff am ei wddw. Gwyddai yn syth bin fod rhywun wedi ei grogi ei hun, a bod yr ysbryd yn gwybod y gallai gysylltu â hi.

Bu'r profiad hwn yn ysgytwad iddi. Beth oedd yr esboniad fod dyn a oedd wedi ei grogi ei hun yn ail-greu'r erchyllter o'i blaen? Pwy bynnag ydoedd, mae'n sicr na allai'r enaid euog hwn orffwys. Defnyddiaf y gair 'euog' yn fwriadol, oherwydd mae'r ysbryd bellach yn gwybod yn iawn na ddylai fod wedi gwneud amdano'i hun. Mae marwolaeth gyn-amserol yn rhwystr pendant i'r enaid rhag croesi i'r ochr draw, a'r gred ydyw ein bod i gyd yn croesi at Dduw yn y diwedd, ond mae gen i yn bersonol amheuon ynghylch y dybiaeth hon, a byddaf yn gwyntyllu'r amheuon hyn yn nes ymlaen.

Un noson eisteddai Rhodri a Meiriona yn gegin, a chlywsant sŵn crafu uchel uwch eu pennau yn dod o gyfeiriad y llofft wag uwchben y gegin. Edrychodd y ddau yn syn ar ei gilydd, yn methu deall beth oedd yn gwneud y sŵn crafu ac roedd yn mynd yn uwch ac yn uwch. Aethai'r plant i gyd i'w gwlâu ers oriau, a thybient eu bod yn cysgu'n drwm. Cydiodd Rhodri mewn potel wag gan ddal ei lamp yn y llaw arall. Aeth i waelod y grisiau a chychwyn i fyny i'r llofft, ond roedd y sŵn crafu yr un mor uchel ar waelod y grisiau ag ydoedd yn y gegin. Dringodd yn ara' bach ar hyd y grisiau a threiddiai iasau dwfn o ofn trwyddo fel cyllell. Gwelai yng ngolau'r lamp fod drws y llofft wag ar ben draw'r landin lle'r oedd y sŵn wedi ei gau, ond fel yr âi'n nes ato, dechreuodd rywbeth ysgwyd y drws fel pe bai'n ysgwyd bretyn, ac fel y cerddai ato câi ei ysgwyd yn waeth fyth. Cydiodd yn nwrn y drws ac ar yr un pryd ei hyrddio ar agor. Darfu'r ysgwyd a'r sŵn crafu ar yr union eiliad honno. Nid oedd neb yn y llofft ond roedd sŵn murmur lleisiau yno a rhyw wynt rhyfedd yn troelli ynddi, ond nid oedd yr un ffenestr yn agored ynddi, ac yn sydyn darfu'r gwynt a'r murmur lleisiau ac aeth y lle'n hollol dawel, ond roedd ynddi ryw iasau anghyffredin a chodai hyn ofn arno.

Nid oedd ganddynt unrhyw eglurhad ar yr hyn a ddigwyddodd, ond roedd y sefyllfa'n frawychus iawn iddyn nhw, ac ni fedrent fyw yno dan yr amgylchiadau hyn.

Aethom yno gyntaf ym mis Ionawr 1995. Nid oedd Elwyn Roberts yn gwybod dim o gwbwl am yr hyn a oedd wedi bod yn digwydd yno, gan ei fod am fynd i'r ffermdy yn agored ei feddwl er mwyn cael barnu'r sefyllfa drosto'i hun.

Rydym wedi bod yn y tŷ sawl gwaith yn ystod y ddwy flynedd ddiwethaf. Pan fyddai un rhan o'r tŷ yn tawelu byddai aflonyddwch o ryw fath yn dechrau mewn ystafelloedd eraill, a dyna'r rheswm pam yr aem yn ôl yno o hyd. Roedd y teulu yn dal i gael eu poeni gan ysbrydion eraill, ac roedd angen i ni archwilio'r sefyllfa yn fanwl ac yn gyson. Cofnodwyd digwyddiadau'r nosweithiau hynny yn fanwl gennyf.

3.

Rhisiart Wynne a Michael Huws

Roedd chwech ohonom ym Mryntirion ganol Chwefror, 1995, sef Elwyn Roberts, Aelwyn Roberts, ei ferch Bridget, a Rhodri a Meiriona, gŵr a gwraig y tŷ, a minnau. Daeth Elwyn â lamp drydan fechan â bylb coch ynddi gydag o. Gosododd y lamp ar fwrdd isel o'i flaen gan roi llyfr i guddio'r golau gwan oddi wrthym ni fel ei fod i gyd ar Elwyn, ac roedd y 'stafell yn dywyll ar wahân i hyn. Mi es i â phapur ysgrifennu a phensel gyda mi er mwyn ceisio cofnodi popeth a ddywedid, y cwestiynau a ofynnid i'r ysbryd yn ogystal â'r atebion a geid ganddo fo neu hi. 'Doedd dim modd gwybod pwy a ddôi drwodd atom, er bod pawb ond Elwyn yn gwybod bod Lyn, brawd Meiriona, yn aflonyddu yno.

Aeth Elwyn i eistedd yng nghornel y 'stafell a llithrodd megis i gwsg ysgafn. Mae pethau'n gweithio'n well pan fo pawb sy'n bresennol wedi ymlacio. Mae'r ysbryd yn debycach o ymddangos inni pan ydym yn y cyflwr hwn.

Tra oedd Elwyn yn canolbwyntio, sgwrsiai'r gweddill ohonom ymysg ein gilydd am bopeth dan haul. Parhaodd y sgwrs am ychydig funudau, ac yn sydyn teimlais yr iasau yn cychwyn yng ngwaelod fy nghefn ac yn cripian i fyny i'm pen. Dyna'r arwydd pendant cyntaf fod presenoldeb yno, a bod rhywun yn croesi o'r tu hwnt yn ôl atom ni.

'Ma' 'na rywun yma,' meddwn.

'Oes,' atebodd Elwyn.

Gwelwn ffurf dyn yn ymddangos ar Elwyn. Nid oeddwn yn ei weld yn berffaith glir ar y dechrau. Yr hyn a welwn oedd ffurf yn unig. Roedd llygaid Elwyn wedi eu cau ond roedd yna wyneb ar ei wyneb o, gyda'r ddau lygad yn agored ac yn edrych arnom, hynny yw, roedd yr ysbryd wedi meddiannu ei gorff ac yn ymddangos drwyddo. Roedd hwn yn brofiad newydd sbon i mi. Dyma'r ysbryd cyntaf i mi ei weld erioed. Cychwynnais sgwrsio ag o, gan ei holi yn ysgafn. Ni chafwyd ateb ganddo, ond fel yr oeddem yn dal i siarad ag o, yr oedd i'w weld yn dod yn gryfach inni ac roedd yr iasau a oedd yn mynd i fyny fy nghefn hefyd yn cryfhau. Fe'i gwelwn yn glir iawn erbyn hyn, ac roedd pawb arall hefyd yn ei ddisgrifio yn union fel roeddwn i yn ei weld o. Cryfhai'r iasau fel yr oedd yr ysbryd yn ymddangos yn gliriach i ni. Yn sydyn roedd yn sefyll o'n blaenau, ac erbyn hyn roedd yr iasau mawr wedi cilio'n llwyr. Hen ŵr gyda gwallt gwyn hir yn disgyn dros ei ysgwyddau oedd yno.

'Be' 'di dy enw di?' gofynnais. Ymhen ennyd atebodd mewn llais hen a chrynedig. Roedd yn siarad yn uniongyrchol â ni, yn ei lais ei hun.

'*Rhisiart.*'

'Rhisiart be'?'

'*Rhisiart Wynne.*'

'Be' ydi dy oedran di, Rhisiart?'

'*Wyth deg chwech.*'

'Pa flwyddyn ydi hi?'

'*1874.*'

Dyna'r flwyddyn y bu iddo farw o bosibl.

Gofynnais ragor o gwestiynau iddo, ond ni chawsom ateb. Roedd wedi distewi'n arw, aeth yn ddagreuol iawn ac roedd yr awyrgylch yn drist ac yn drwm iawn yn y lle. Nid oedd y Parchedig Aelwyn Roberts yn teimlo'n dda iawn y noson honno. Nid oedd wedi bod yn ei bethau trwy'r dydd ac o'r herwydd nid oedd ar ei orau, ac roedd yn dawedog. Er fy mod yn dal i siarad â'r ysbryd, ni chawn ateb ganddo, ond toc dyma'r geiriau hyn gan Rhisiart Wynne.

'*Y plant 'ma.*'

Buom yn ceisio ei gael i ateb ein cwestiynau ynglŷn â'r plant ond y cwbwl a wnâi oedd sefyll yno yn syllu arnom heb ddweud dim wrthym. Erbyn hyn roedd ei ddagrau yn rowlio i lawr ei ruddiau, ac roedd awyrgylch drom iawn yn y 'stafell. Ceisiwn ddyfalu pam yr oedd yno, pam na allai fod yn fodlon ar yr ochr draw, a barnu ei fod wedi medru croesi o gwbwl i'r tu hwnt? Beth oedd wedi digwydd iddo? A gawsai ei ladd mewn damwain? A oedd o wedi ei ladd ei hun, neu a fu iddo adael y fuchedd hon â rhywbeth yn pwyso ar ei feddwl ac yn ei boeni yn y byd nesa', ac yntau, o'r herwydd, wedi methu cynefino yno?

'Be' 'di dy waith di?' gofynnais.

'*Busnes cario.*'

O'r diwedd cafwyd ateb ganddo.

'Cario be'? Oes gen ti drol a cheffyl? Cario glo neu galch?'

'Na,' meddai Elwyn. 'Mi ydw i'n gweld dau geffyl du yn tynnu hers ddu. Mae 'na borth eglwys ac mae o'n cario arch i mewn i'r fynwent. Busnes trefnu angladda' sydd ganddo. Mi ydw i'n gweld 'i wraig o rwan. Mae 'na helynt rhwng y ddau. Maen nhw wedi colli eu plant i gyd, ac mae hi'n 'i feio fo am ddod â heintiau o'r mynwentydd i'r tŷ a lladd y plant, ac mi ydw i'n cael yr enw Arthur Williams.'

O'r diwedd cafwyd y rheswm pam na allai Rhisiart Wynne fod yn dawel ei feddwl. Yn naturiol, roedd marwolaethau ei blant yn ei boeni'n arw, ond pam y bu iddo ymddangos yn y tŷ hwn?

'Faint o blant sydd gen ti, Rhisiart?'

'*Chwech.*'

'Be' 'di'u henwe nhw?'

'*Gwyn, Ifor, Elin, a Rhys.*'

Ni chafwyd enwau'r ddau arall. 'Be' ddigwyddodd i'r plant?' Ymhen tipyn atebodd mewn llais toredig a dagreuol.

'*Wedi mynd i gyd.*'

Roedd yn amlwg eu bod wedi marw i gyd yn ifanc ac o'i flaen o.

'Pam wyt ti yma, yn y tŷ 'ma?'

Ymhen ychydig atebodd.

'*Mi ydw i wrth fy modd yma.*'

37

Mentrodd Rhodri ddweud gair wrtho.

'Mi ydw i wedi dy weld ti yma o'r blaen, yn 'tydw i, Rhisiart? Mi wyt ti'n sefyll yn yr ardd yn pwyso ar dy ffon weithie, neu mi fyddi di'n sefyll yn ochor y grât yn y gegin?' Ni ddywedodd ddim. Erbyn hyn synhwyrwn pam yr oedd yn y tŷ hwn. Roedd pedwar o blant mân yma ar y pryd, ac roedden nhw yn ei atgoffa am ei blant ei hun, a deuai yma i'w gweld. Ceisiais ddilyn y trywydd hwn i weld i ble y caem ein harwain.

'Mi wyt ti wrth dy fodd efo'r hen blant 'ma, yn 'dwyt ti, Rhisiart?'

Roedd y dagrau yn llifo i lawr gruddiau Elwyn, ac roedd yr awyrgylch yn drwm a thrist drwy'r lle, ond ni chafwyd ateb gan Rhisiart Wynne. Toc gofynnais iddo:

'Pa enwad wyt ti, Rhisiart?'

'*Sentars*,' atebodd; hynny yw, *Dissenters*, sef Annibynwyr.

'Be' 'di enw dy wraig di?'

'*Elin.*'

'Pa oedran ydi hi?'

Atebodd Elwyn.

'Saith deg pedwar. Mae o dipyn yn hŷn na hi, oddeutu ugain mlynedd.'

'Un o ble ydi hi, ynte'? Ni chafwyd ateb ganddo y tro yma chwaith.

''Dwi'n meddwl mai o ardal Trawsfynydd neu Borthmadog ma' hi'n dwad,' meddai Elwyn.

Buom wrthi'n trafod gydag o am ryw dri chwarter awr nes inni ddechrau blino ar yr hen Risiart, gan nad oedd yn siaradus iawn ac am nad atebai ein cwestiynau i gyd. Weithiau âi tua hanner munud heibio cyn y caem ateb ganddo. Mi oedd o'n gythrel o ystyfnig; yn wir ychydig iawn a ddywedodd i feddwl ein bod wedi trafod gydag o cyhyd, ond cyn gorffen ag o gofynnais iddo: 'Ymhle'r wyt ti, rwan?' gan feddwl y buasai'n dweud wrthym yn union ym mhle'r oedd.

''*Dwi ym mhob man*,' atebodd.

'Ie, ond i ble'r wyt ti'n mynd?'

'*Mi fedra' i fynd i ble bynnag 'dwi isio,*' oedd ei ateb, ac yna dywedodd,

'*Mi ydw i wrth fy modd yma. Bendith arnoch chi i gyd.*'

Terfynwyd y drafodaeth gyda Rhisiart Wynne a buom yn sgwrsio ymysg ein gilydd am yr hyn a ddywedodd wrthym. Cefais ddigon o wybodaeth i geisio dod o hyd iddo drwy ymchwil, ac roedd popeth a ddywedodd wrthym wedi ei gofnodi, yn union fel yr atebai ein cwestiynau.

Cymeriad distaw a dagreuol oedd Rhisiart Wynne pan oedd ar y ddaear, ac un felly ydyw yn y byd nesaf hefyd. Mae hyn yn wir am bob ysbryd. Yr un cymeriad sydd iddyn nhw â phan oedden nhw yn y byd yma. Os oedden nhw'n bobl groes o ran natur yn y fuchedd ddaearol hon, bydd yr un natur groes ganddyn nhw ar yr ochr draw hefyd.

Yn sydyn, dyma'r iasau yn ailgychwyn yng ngwaelod fy nghefn. Ni wyddwn ai Rhisiart Wynne a oedd yn dod yn ei ôl ynteu rywun arall, ond roedd dyn arall yn sefyll wrth ochr Elwyn a gwelwn ef yn blaen iawn, gŵr tal, pryd tywyll ag wyneb main ganddo oedd hwn, a thybiwn fy mod yn gweld coler gron am ei wddw. Teimlwn fod rhyw awdurdod i'w ganlyn. Yn sicr, roedd awyrgylch hollol wahanol yn y lle erbyn hyn, awyrgylch awdurdodol.

'Be' 'di dy enw di?'

'*Michael Huws.*'

Siaradai yn uniongyrchol mewn llais ag awdurdod ynddo.

'Be' 'di dy waith di?'

'*Person, yntê,*' atebodd, gan godi ei ben yn bwysig.

Cafwyd yr enwau Llwyn Brain a'r Gelli. Rhaid bod rhyw gysylltiad rhyngddo a'r lleoedd hyn, ond ni wyddem beth oedd y cysylltiad hwnnw.

Nid arhosodd y person gyda ni yn hir. Nid oedd ganddo awydd sgwrsio. Cafwyd mai Elizabeth oedd enw ei wraig a bod un mab ganddyn nhw, ac iddo fod yn fyfyriwr ym Mhrifysgol Rhydychen. Dywedodd hefyd fod ei wraig a'i fab wedi marw o fewn dau fis i'w gilydd. Yna dywedodd Aelwyn wrtho ei fod yntau hefyd yn berson ac adroddodd weddi, yna diflannodd Michael Huws, ac ni chawsom ddigon o wybodaeth ganddo i geisio dod o hyd iddo. Rhyw alw heibio wrth basio a wnaeth.

Nid oedd sôn am ysbryd Lyn, brawd Meiriona, ond fel arfer yr ysbryd sydd yn penderfynu a ydi o yn mynd i ymddangos inni ai peidio, ac nid oes rheolaeth fel arfer ar bwy a ddaw drwodd atom. Y gred ydyw na fedrwn ni roi gorchymyn i ysbryd arbennig ymddangos, a thybiwn mai felly yr oedd y byd ysbrydol yn gweithio; ond eto, pan oeddem wedi penderfynu ar ddyddiad arbennig i fynd yn ôl i'r tŷ hwn, byddwn yn meddwl yn galed drwy'r dydd am ryw ysbryd arbennig yr oeddem wedi ei gael gyda ni o'r blaen ac yn melltithio na fyddwn wedi gofyn nifer o bethau iddo. Yr hyn sy'n rhyfedd yw'r ffaith fod yr ysbryd y bûm yn meddwl amdano wedi ymddangos bob tro, fel pe bai'r cysylltiad meddyliol rhyngom yn cryfhau. Fel y cawn weld yn nes ymlaen, buom mewn cysylltiad â phobl ddiddorol a phwysig iawn yn hanesyddol, ac roeddwn yn dyheu am gael cyfarfod â nhw eto. Mae'r ysbryd fel pe bai yn gwybod yn iawn ein bod am gyfarfod ag o eto, a gwireddwyd ein dyhead sawl tro.

Penderfynwyd ei bod yn amser inni gael seibiant ac aeth Meiriona i'r gegin i wneud paned. Ailgydiwyd ymhen ychydig. Cafwyd presenoldeb arall, ond gwan ydoedd. Gwelwn siâp du yn ymddangos. Nid oeddwn i na'r un aelod arall o'r cwmni yn gallu gweld yn iawn ai dyn ynteu ddynes oedd yno, ond yn ara' bach daeth y ffurf yn gryfach inni. Safai lleian o'n blaenau wrth ochr Elwyn, dynes fer yn ei gwisg eglwysig. Ni fu yno fawr iawn o amser, ac ni chawsom gyfle i holi dim arni. Diflannodd yn ddirybudd. Roedd yn amlwg nad oedd ganddi eisiau sgwrsio gyda ni, ac ni cheisiwyd ei galw'n ôl. Pe byddai'n dymuno aros byddai wedi gwneud hynny ohoni ei hun.

Roedd hithau hefyd yn un o'r rhai a alwodd draw am eiliad. Roedd yr eneidiau a gafwyd hyd yma wedi ymddangos heb i ni eu disgwyl. Ni wyddem ddim am eu bodolaeth cyn hynny, ond byd felly ydyw'r byd hwn. 'Does wybod pwy sydd yn mynd i groesi atom pan fyddwn yn ymweld â theulu sy'n cael ei boeni.

4.

Lyn

Dechreuais feddwl yn ddwfn am frawd Meiriona. Gwyddwn ei fod yno gan fy mod yn teimlo ei bresenoldeb, ond nid oedd hyd yma wedi dod atom. Roedd yn rhaid inni ymdrechu i'w gael o er mwyn ceisio ei helpu i groesi i'r ochr draw, gan ei fod nid yn unig yn dychryn ei chwaer a'i gŵr ond hefyd roedd yn amlwg na allai groesi ar ei ben ei hun.

Mae pethau yn debycach o ddigwydd ar y pryd pan mae'r awyr-gylch yn ysgafn a phawb yn ymlacio. Dyna lle'r oeddem yn siarad ymysg ein gilydd am yr hyn a'r llall, am bob dim ond ysbrydion. Roedd pawb ohonom, ar wahân i Elwyn, yn sgwrsio. Roedd o â'i lygaid ynghau ac mewn swyngwsg ysgafn, ac yn sydyn dechreuodd yr iasau gerdded gwaelod y cefn.

'Ma' 'na rywun yma,' meddwn. Aeth pawb yn ddistaw a gwyddwn mai Lyn oedd ar fin ymddangos.

'Oes,' cytunodd Elwyn.

Gwelwn ffurf dyn yn ymddangos arno. Roedd yn cryfhau gyda phob eiliad, ac yna gwelwn ŵr nad oeddwn i wedi ei weld ers blynyddoedd gan ei fod wedi gadael ei fro enedigol am Lundain ers amser maith. Gŵr o gwmpas deugain oed oedd yno. Nid oedd yn rhaid gofyn am ei enw gan y gwyddwn yn iawn pwy ydoedd. Dechreuais ei holi yn Gymraeg. Gwyddwn ei fod yn medru'r iaith yn iawn, ond ni chefais ateb,

'Be' ddigwyddodd, pam 'nest ti hyn i chdi dy hun?' gofynnais, ond ni chafwyd ateb ganddo. Buom yn ceisio ei annog i siarad am rai munudau.

'Meiriona, siarada di efo fo yn Saesneg. Mae o'n dy 'nabod di'n well na neb arall yma,' meddai Rhodri.

'What happened, Lyn?' gofynnodd ei chwaer iddo, ac yna atebodd.

'*I can't tell you.*'

'Why can't you tell me?'

'*I'm too ashamed to tell them.*'

'Why did you do this to yourself?'

'*I can't tell you. Everywhere is pitch black, I can't move. I'm stuck.*'

Hynny yw, roedd yn gaeth rhwng y byd hwn a'r byd nesaf. Ni allai adael y byd hwn am ei fod wedi marw yn gyn-amserol a thrwy ei law ei hun, ac o'r herwydd roedd ganddo boen meddwl mawr. Treiddiai teimlad o gywilydd ac edifeirwch drwy'r 'stafell.

'Where are you now?'

'*I'm stuck. I need help*,' atebodd, ac ar hyn daeth Elwyn i'r drafodaeth.

'Mi ydw i'n gweld merch ifanc.'

'Be' 'di'i henw hi?' gofynnais.

'Sally Willis.'

'Be' 'di'i hoed hi?'

'O gwmpas tri deg pump. Mi ydw i'n 'i gweld hi yn gweithio efo pobol ifanc. Y mae'r flwyddyn 1974 yn bwysig. Mi ydw i'n gweld coed tal a gerddi.'

Er holi rhagor ar Lyn nid oedd am ateb dim o'n cwestiynau. Gwyddwn fod ei dad wedi ein gadael ers rhyw dair wythnos, a gofynnais i Meiriona a fyddai hi'n fodlon inni geisio ei gael atom yn y gobaith y gallai fod o gymorth i'w fab i groesi ato.

'Na, ma' hi'n iawn,' atebodd yn wrol.

Ar hyn ciliodd y brawd o'n golwg ond roedd ei bresenoldeb yn gryf o hyd.

'Os ydi tad Lyn yma rwan, 'nei di ddangos dy hun inni er mwyn iti fod o gymorth i dy fab groesi atat ti?' meddai Elwyn

Dechreuodd yr iasau gerdded y cnawd eto, ac yna, yn sydyn,

yn eistedd yn y gadair freichiau ar Elwyn, roedd y tad. Roeddwn yn ei adnabod ers blynyddoedd. Gŵr yn ei wythdegau oedd pan fu farw, gyda gwallt a mwstásh gwyn ganddo. Eisteddai yn y gadair fel yr arferai ei wneud pan oedd yn byw gyda nhw yn y tŷ, â'i ddwy law ar freichiau'r gadair. Roedd yn gwenu arnom.

'What happened to Lyn?' gofynnais.

'*He's been a bad boy. He was bad before too, wasn't he?*'

'Can you help him to move on?'

Dim ateb, ond ar hynny dyma Rhodri, ei fab-yng-nghyfraith, yn gofyn iddo: 'Do you still like your pint, you old bugger? Do you still drink as much whisky now?'

Aeth yr hen ŵr i chwerthin uwch y cwestiynau hyn, ac ysgydwai yn ysgafn yn y gadair, ond ni chafwyd rhagor o wybodaeth ganddo fo na'r mab. Ni chawsom wybod yn uniongyrchol gan yr un o'r ddau pam roedd y mab wedi cyflawni hunanladdiad. Nid oedd yr un ohonyn nhw yn fodlon dweud wrthym, ond cawsom ddigon o wybodaeth gan Lyn i ddeall beth oedd y rheswm iddo wneud yr hyn a wnaeth, ond roedd ganddo ormod o gywilydd i ddweud popeth wrthym, yn enwedig gan fod ei chwaer gyda ni.

Cawsom seibiant ar ôl hyn, ac eglurodd Meriona a Rhodri i Elwyn pwy oedd Lyn a beth oedd wedi digwydd iddo, ac yn rhyfedd iawn, pan roddwyd y golau trydan yn y 'stafell, roedd llun ohono wedi ei fframio yn hongian ar y wal yn union y tu ôl i'r lle y safai gyda ni, a'r un person yn union a oedd yn y llun â'r ysbryd yr oeddem ni wedi bod yn sgwrsio ag o.

Mae rheswm pendant pam y dychwelodd i'r tŷ lle cafodd ei fagu. Roedd o a'i chwaer yn agos iawn at ei gilydd. Roedden nhw yn ffrindiau mawr, a byddent yn rhannu cyfrinachau pan oedd y ddau ohonyn nhw yn byw gartref gyda'i gilydd, a gwyddai yn iawn y gallai gysylltu â'i chwaer gan ei bod hithau a'i gŵr yn seicic, er na wydden nhw ystyr y peth yr adeg honno. Roedd yn ymddangos o hyd wrth draed gwely Meiriona, ac yn ceisio siarad â hi. Ceisiai ddweud ei gŵyn wrthi, ac o'r herwydd, roedden nhw'n dychryn ac yn methu gwneud dim am y peth.

Gofynnodd Elwyn i Meiriona a fyddai yn fodlon cael ei rhoi

mewn swyngwsg ganddo, rhag ofn y gallai rhywbeth yn ei hisym-
wybod fod o gymorth. Gwrthododd gydsynio, ond cytunodd
Rhodri i gymryd rhan. Mae Elwyn wedi graddio yn y grefft hon,
ac yn ei hymarfer ers blynyddoedd lawer. Mae'r broses yn cymryd
tua deng munud cyn y bydd y person sy'n cael ei swyno yn mynd
i drwmgwsg, ac mae'r trwmgwsg hwnnw yn gwsg trymach o lawer
nag unrhyw gwsg arferol. Mae'n cychwyn trwy ofyn i'r un a swynir
ymlacio gan edrych a chanolbwyntio ar wrthrych arbennig, nenfwd
yr ystafell, er enghraifft; wedyn mae'n siarad â'r person ac yn dweud
wrtho i ymlacio, a'i fod yn mynd i'w roi i gysgu. Ailadroddir hyn o
hyd ac o hyd, ac mae'n rhan bwysig o'r broses. Ar yr un pryd mae'n
ymlacio cyhyrau'r pen ac yn raddol yn gweithio i lawr y corff gan
ymlacio cyhyrau'r corff i gyd nes y bydd y person yn cysgu'n drwm.
Bydd yn clywed pob gair a ddywedir. Bydd yn ateb y cwestiynau
a ofynnir iddo, ond bydd mewn cwsg trymach nag y bu ynddo
erioed o'r blaen, ond ni all pawb ohonom ymateb i'r broses, na
chael ein rhoi mewn swyngwsg.

Cytunodd Rhodri i gael ei hypnoteiddio. Aethpwyd drwy'r
broses arferol, ac ymhen tua deng munud roedd yn cysgu'n drwm,
ond yn gwybod yn iawn beth oedd yn mynd ymlaen.

'Os ydi isymwybod Rhodri yn fodlon ein helpu yma heno,'
meddai Elwyn, ''neith o ysgwyd y bys ar law Rhodri pan fydda' i'n
cyffwrdd â hi?'

Cyffyrddodd Elwyn â llaw Rhodri, ond ni symudodd y bys.

''Tydi petha' ddim yn edrych yn dda. Os *nad* ydi'r isymwybod
yn fodlon i gorff Rhodri gael ei ddefnyddio yma heno, 'wnaiff o
symud y bys pan fydda' i yn cyffwrdd â'i law o. Oes yna rywbeth
yn yr isymwybod sy'n dy boeni di, Rhodri?'

Dyma'r bys yn symud.

'Oes, 'does dim diben inni barhau, 'tydi'r isymwybod ddim yn
fodlon ein helpu,' meddai Elwyn.

Er bod Rhodri ei hun yn berffaith fodlon cael ei swyngyfareddu,
ac yn barod i'n helpu, nid oedd ei isymwybod yn barod i neb
arall ei ddefnyddio. Pe byddai wedi cytuno, yna byddai Rhodri,
drwy ei isymwybod, wedi bod yn gweithio fel cyfrwng yn ogystal

ag Elwyn, a byddai'r ddau gyda'i gilydd wedi bod yn gyfrwng cryfach o lawer. Gwelais hyn yn digwydd fy hun. Byddai Elwyn a'r sawl a fyddai mewn trwmgwsg yn ateb ein cwestiynau ar ôl i ysbryd ymddangos, a byddai'r ddau yn disgrifio'r ysbryd yn union yr un fath â'i gilydd, ond mewn geiriau gwahanol.

5.

Ysbrydion Gwarcheidiol

Gofynnodd Elwyn i Meiriona a hoffai gyfarfod â'i Hysbryd Gwarch-
eidiol? Cytunodd hithau.

'Ysbryd Gwarcheidiol Meiriona, mae Meiriona yn awyddus i dy
gyfarfod di, os wyt ti'n fodlon. 'Nei di ddangos dy hun inni rwan?'

Teimlwn rywun yn croesi atom ac yna yn ymddangos wrth ochr
Elwyn gan edrych ar Meiriona. Safai dyn main, tal iawn o'n blaenau,
a gwisgai rywbeth tebyg i goler gron am ei wddw, a thybiem ei fod
mewn urddau eglwysig ac yn esgob, o bosibl. Gwisgai gap triongl
ar ei ben. Roedd yn dywyll iawn o ran pryd a gwedd. Y flwyddyn
oedd 1638. Dywedodd Elwyn ei fod yn ei weld yn gwisgo trowsys
a bod hwnnw wedi ei fotymu.

'Be' ydi dy enw di?' gofynnais iddo, ond nid atebodd.

'Ymhle'r wyt ti'n byw?' Dim ateb eto.

'Be' 'di dy waith di?' ond tawedog oedd o hyd. Buom yn gofyn
cwestiynau am gryn dipyn o amser iddo, ond roedd rhywbeth yn
bod a synhwyrwn rywsut nad oedd yn gyfarwydd â'r Gymraeg.
Troesom i'r Saesneg ond yr un oedd y diffyg ymateb. Gwyddwn
fod mam Meiriona yn hanu o Golymbia yn Ne America, a thybiais
mai Sbaeneg, o bosibl, oedd yr iaith a siaradai'r ysbryd hwn.
Gwyddwn fod Meiriona wedi dysgu ychydig o'r iaith gan ei mam
a gofynnais iddi siarad ag o. Gofynnodd iddo yn Sbaeneg. '*Quanto
Anias?*' sef, faint yw dy oedran di? Ar hyn cynhyrfodd y gŵr a
llefarodd y geiriau:

'*Aprata, Nato a Geni.*'

Ond nid oedd yn ŵr siaradus ac nid oedd gan Meiriona ddigon o grap ar y Sbaeneg i fedru cynnal sgwrs yn iawn, a theimlem nad oedd diben dal ati gydag o. Ar hyn, gan nad oedd y Parchedig Aelwyn Roberts yn teimlo'n dda, gofynnodd Elwyn:

'Os ydi Ysbryd Iachaol Aelwyn yn bresennol, a wnei di ei wella gan nad ydi o wedi bod yn dda ers tro?'

Ymhen tua deng munud roedd Aelwyn wedi dadebru trwyddo, a theimlai'n llawer iawn gwell.

Gofynnodd Elwyn i Rhodri a hoffai yntau gyfarfod â'i Ysbryd Gwarcheidiol o, a chytunodd. Mae'n bosibl fod yr Ysbryd Gwarcheidiol yn un o'r teulu, a gall fod yn ganrifoedd oed, ond mae'n bosibl hefyd nad oes cysylltiad teuluol o gwbwl rhwng y ddau.

'Os ydi Ysbryd Gwarcheidiol Rhodri yma efo ni heno, 'nei di ddangos dy hun inni? Byddai Rhodri wrth ei fodd o gael y fraint o gyfarfod â ti.'

Roeddem i gyd cyn ddistawed â'r bedd ond 'doedd dim yn digwydd. Yna, dechreuodd yr iasau gerdded y cnawd, a gwelwn rywun yn ymffurfio ar Elwyn. Ffurf dyn ydoedd ond ni allwn ei weld yn iawn. Roeddem i gyd yn gweld rhywun, ac fel y soniem am yr hyn a welem, roedd yr ysbryd yn cryfhau ar yr un pryd. Cryfhai'r iasau yn fy nghorff, yna, gwelwn ddyn mawr trwm ar Elwyn. Roedd ei ben yn foel a'i wyneb yn grwn. Roedd mewn gwisg laes a gwisgai rywbeth drudfawr yr olwg mewn hanner cylch ar draws ei frest. Cawn y teimlad ei fod yn gysylltiedig â'r eglwys ac yn offeiriad, o bosibl. Trodd i wynebu Rhodri. Roedd ochr ei wyneb tuag ataf fi erbyn hyn, a gofynnais iddo, 'Be' 'di dy enw di?'

'*Gwilym Mersia.*'

Aeth distawrwydd llethol drwy'r 'stafell. Nid oedd gan yr un ohonom y syniad lleiaf beth i'w ofyn nesaf iddo. Roedd yr enw mor ddieithr inni. Buom yn dawedog am ryw chwarter munud a disgwyliwn iddo ddweud rhagor wrthym, ond ni ddywedai ddim. Yn sydyn, a 'does gen i ddim syniad yn y byd pam na sut, ond cawn neges o rywle yn dweud fod ei ail enw yn llinyn cyswllt, a'i fod wedi cael ei enwi ar ôl y darn tir a alwyd yn Mers, sef Gwlad y Mers, yr hen ffin rhwng Cymru a Lloegr lle bu brwydrau gwaedlyd rhwng y Cymry a'r Norman/Sais, *West Mercia* heddiw. Gwyddwn fy mod ar y trywydd iawn.

'Mae'n siwr dy fod yn gw'bod am y gyflafan a fu ym Mangor-is-y-coed yn y flwyddyn 615 pan lofruddiwyd dros ddeuddeg cant o fynachod ac anrheithio'r mynachdy yno,' meddwn wrtho.

'*Bangor Iscoed*,' meddai mewn llais clir gan wynebu Rhodri o hyd.

Pan ddywedodd hyn gwyddwn yn ddiamheuol fy mod wedi taro'r hoelen ar ei phen, oherwydd roeddwn i wedi llefaru'r enw yn Bangor-is-y-coed, ond Bangor Iscoed a ddywedodd o, ac mae'n rhaid mai felly y câi'r enw ei ynganu pan oedd ar dir y byw. Roeddem felly yng nghwmni ysbryd a oedd yn ganrifoedd oed.

'Mi wyt ti'n gw'bod hefyd,' meddwn eto, 'am y brwydre a fu yn y seithfed ganrif ar y ffin rhwng y Cymry a'r Saeson pan laddwyd Cynddylan Wyn, Brawd Heledd, ac Eryr Pengwern yn bwydo ar ei gnawd, y Dref Wen a gwaed ar y gwellt. Mi wyt ti'n gw'bod am hanes Llywarch Hen yn colli ei feibion i gyd yn y brwydre efo'r Sais, bedwar ar hugain ohonyn nhw a Gwên yr ieuengaf yn cael ei ladd yn Rhyd Forlas.'

Adroddais ddarnau oddi ar y cof allan o Ganu Heledd:

'Stafell Gynddylan ys tywyll heno,
Heb dân, heb wely;
Wylaf wers, tawaf wedy.

Stafell Gynddylan ys tywyll heno,
Heb dân, heb gannwyll.
Namyn Duw pwy a'm dyry pwyll?'

Gan mai Ysbryd Gwarcheidiol Rhodri ydoedd, yn naturiol roedd yn edrych arno fo, ond wrth imi adrodd y penillion hyn trodd yn y gadair fel mellten gan fy wynebu i. Roedd wedi ei gynhyrfu a threiglai dagrau ar hyd ei ruddiau.

'Mae o wedi ei synnu yn fawr dy fod ti'n gw'bod cymaint o

hanes yr hen Gymry ac mae adrodd yr englynion hyn yn cael effaith fawr arno,' meddai Elwyn.

Roedd yn amlwg yn ŵr llengar ac yn gwybod yn iawn am hanes y genedl yn y canrifoedd cynnar. Daliais i siarad ag o.

'Mae'n rhaid dy fod yn gw'bod am Dudur Aled, bardd o'r bymthegfed ganrif?'

'*Ifor Hael*,' meddai.

'Ie,' atebais, 'noddwr Dafydd ap Gwilym oedd o.'

'*Brogyntyn*,' meddai wedyn.

'Ie, Owain Brogyntyn, tywysog o Bowys yn y ddeuddegfed ganrif.' Wedi hyn llefarodd y geiriau canlynol:

'*Mersia, Edwin, Allgo ac Elvin.*'

Roeddwn yn gyfarwydd â'r enw Mersia, ond ni wyddwn am y tri arall, ar wahân i'r ffaith eu bod yn enwau hynafol, ond teimlwm fod rhyw awdurdod uchel yn perthyn i'r gŵr hwn. Roedd yn amlwg yn ŵr hyddysg iawn, a theimlwn hefyd ei fod yn ymwneud â boneddigion.

'Faint o ieithoedd wyt ti'n eu medru?' gofynnais.

'*Lladin, Saesneg a Chymraeg*,' atebodd.

Bûm yn sgwrsio ag o am dipyn ond tawedog ydoedd, ac ni chafwyd rhagor o wybodaeth ganddo. Gan ei bod wedi mynd mor hwyr penderfynwyd rhoi'r gorau iddi, ond buom yn sgwrsio am dipyn ynglŷn â Gwilym Mersia ac yn ceisio dyfalu ymhle y caem hyd iddo, gan nad oeddwn wedi meddwl gofyn iddo beth oedd ei swydd na pha flwyddyn oedd hi, ac nid oedd gennyf y syniad lleiaf ymhle i gychwyn edrych amdano.

Roedd yr amser wedi carlamu heibio heb inni feddwl, a rhoed y gorau iddi am y tro, gan drefnu i fynd yn ôl yno pe byddai ysbrydion yn dal i boeni'r teulu. Roeddwn i yn sicr y caem alwad ffôn arall cyn hir, gan nad oeddem wedi cael unrhyw sôn am y sawl a oedd yn gyfrifol am falu'r cypyrddau bwyd a'r poteli yn deilchion mân yn y tŷ.

Dechreuais ar y gwaith o chwilota am Gwilym Mersia, ond nid oeddwn yn cael dim hwyl arni. Ni fedrwn gael hanes ohono yn unman, ac mi oeddwn i'n fy melltithio fy hun am beidio â gofyn iddo am ddyddiad ei farwolaeth ac ymhle roedd yn byw, ond mae'n hawdd meddwl am y pethau hyn ar ôl yr achlysur.

Ymhen amser wedyn gwelais Rhodri ar y stryd yn Y Bala, ac roedd wedi cofio ei fod wedi gweld enw Gwilym Mersia neu enw tebyg iddo mewn rhyw lyfr yn rhywle, a thybiai fod ganddo ryw gysylltiad â'r eglwys. Roedd hyn, o bosibl, yn gwneud rheswm, gan ei fod wedi ei wisgo mewn dillad a edrychai fel pe bai rhyw awdurdod yn perthyn iddyn nhw, a chawn y teimlad wrth siarad ag o ei fod yn bwysig yn ei faes, beth bynnag oedd hwnnw.

Ar ôl mynd adref ffoniais y Prifardd a'r Parchedig Gwynn ap Gwilym, rheithor Penegoes ger Machynlleth, gan ofyn iddo a wnâi chwilio'r llyfrau Crockfords a oedd yn ei feddiant am yr enw Gwilym Mersia. Yn y rhain ceir enwau esgobion Cymru a Lloegr yn y canol oesoedd. Ni fedrwn roi dyddiadau'r gŵr hwn iddo gan nad oedden nhw gen i, ond rhoddais y flwyddyn 1638 iddo, rhag ofn bod rhyw ddryswch rhwng Ysbryd Gwarcheidiol Meiriona a Rhodri.

'Doedd yna yr un Gwilym Mersia wedi bod yn esgob yn yr un o'r ddwy wlad o 1638 ymlaen, ond dyma waredigaeth! Daeth ar draws yr enw *William of March*, a wnaed yn esgob Bath and Wells ym 1293.

Gwyddwn yn syth mai am hwn yr oeddwn yn chwilio, mae rhywun yn gwybod pan mae wedi taro ar y trywydd iawn, nid yn unig trwy fêr yr esgyrn ond trwy'r ddawn seicic yn ogystal, ac mai'r un person yw Gwilym Mersia a William of March.

Roedd yr enw *March* yn golygu Mers a William yn golygu Gwilym yn y Gymraeg ac roedd wedi ei enwi ar ôl y darn tir.

Ffoniais Rhodri i ddweud am y darganfyddiad hwn, gan ddatgan yn bur hyderus fy mod wedi darganfod ei Ysbryd Gwarcheidiol. Ond roedd rhywbeth arall yn dechrau fy nghorddi erbyn hyn, sef y dyddiad 1293. Dim ond ers un ar ddeg o flynyddoedd y lladdwyd Llywelyn ap Gruffudd yng Nghilmeri, tywysog olaf ein cenedl.

Cawsom wybod gan Gwilym Mersia ei fod yn dwymgalon tuag at genedl y Cymry, a dechreuais ystyried y posibilrwydd ei fod yn gwybod yn iawn am Llywelyn, ac efallai wedi ei 'nabod hyd yn oed. Nid oedd gen i unrhyw brawf o hyn, ond roedd y teimladau yn cryfhau o hyd. Soniais wrth Elwyn ac Aelwyn am yr hyn a deimlwn, er na chawsom arwydd o gwbwl pan fuom yn cyfathrebu ag o y noson honno, ond roeddwn i'n dechrau bod yn fwy hyderus fel yr âi'r wythnosau heibio, ac roedd y peth ar fy meddwl yn ddyddiol ac yn cryfhau o hyd. Po fwyaf y meddyliwn am hyn, awn yn fwyfwy pendant fy mod yn iawn.

Pan ffoniais Rhodri i ddweud fy mod yn meddwl imi ddod o hyd i Gwilym Mersia roedd ganddo gŵyn arall. Roedd rhywun yn tarfu arnyn nhw mewn ystafell arall nad aethom i mewn iddi pan oeddem yno.

Ystafell-bob-peth ydyw hon yn fwy na dim arall, ac nid ydyn nhw yn ei defnyddio fel ystafell fyw. Mae ynddi fwrdd a chadeiriau o'i amgylch, a chwpwrdd neu ddau, ac ar y bwrdd hwn y mae Rhodri yn cadw rhyw fân bethau gwaith. Digwyddodd daro ei faco a'i daniwr ar y bwrdd a mynd i wneud rhywbeth, ac anghofiodd amdanyn nhw am dipyn go lew o amser; ond ymhen oriau aeth i'w 'nôl, gan fod yr awydd am fwg wedi mynd yn drech na'r ewyllys. Pan aeth at y bwrdd nid oedd sôn amdanyn nhw yn unman. Roedden nhw wedi diflannu. Aeth i holi'r plant ond taerent hwythau nad oedden nhw wedi gweld ei faco na'r taniwr, ac nid oedd Meiriona wedi eu gweld ychwaith, ond dadleuai yntau nad oedd neb arall yn y tŷ a allai fynd â nhw oddi yno. Roedd yn hollol bendant ei fod wedi eu rhoi ar y bwrdd, ond eto, gan nad oedd neb wedi eu gweld, dechreuai ei amau ei hun a ydoedd wedi eu gadael yno ai peidio; ond, beth bynnag, 'doedd dim golwg ohonyn nhw yn unman, a rhaid oedd bodloni hebddynt.

Anghofiodd am y digwyddiad hwn yn fuan, ac un diwrnod aeth i'r un ystafell eto, gan adael ychydig o sbanars ar y bwrdd ynghyd â'i faco sbâr. Ymhen ychydig ddyddiau roedd ganddo waith i'w wneud â'r sbanars ac aeth i'w 'nôl i'r ystafell lle y gadawodd nhw, ond 'doedden nhw ddim yno yn unman. Er iddo chwilio'n drwyadl, i ffwrdd ag o i holi'r plant eto, ond yr un oedd yr ateb. 'Doedd yr un ohonyn nhw wedi bod ar gyfyl y 'stafell.

Bu'r diflaniadau hyn yn ddirgelwch llwyr iddo, ond un diwrnod, wrth i Meiriona lanhau un o'r 'stafelloedd eraill, yno o dan un o'r cypyrddau roedd y baco a'r taniwr colledig; ac o dan ddodrefnyn mewn ystafell arall, wedi eu gwthio i gornel, daeth ar draws y sbanars. Dyfnhaodd y dirgelwch. Sut yn y byd yr aethon nhw yno? Beiai Rhodri'r plant.

Digwyddai'r diflaniadau hyn yn gyson. Collai bethau oddi ar y bwrdd yn rheolaidd, ac ni allai gael hyd iddyn nhw; yn ogystal, câi'r ymdeimlad fod rhywun yn ei wylio yn y 'stafell. Cafodd yr ymdeimlad fod rhyw bresenoldeb yno yn gwylio pob cam o'i eiddo, ac aeth pethau mor ddrwg nes bod arno ofn mynd i mewn i'r 'stafell.

6.

Eleanor de Montfort?

Trefnwyd dyddiad i fynd i Fryntirion eto, heb ddweud wrth Elwyn beth oedd yn digwydd yn y 'stafell dan sylw, ond aethom i'r ystafell fyw lle'r oeddem wedi cyfarfod â Gwilym Mersia i ddechrau.

Oddi ar i mi ddechrau ymhél â'r byd rhyfedd hwn, ac ar ôl inni siarad â'r ysbrydion yr oeddem yn cyfarfod â nhw, roeddwn yn gweld pobl eraill a oedd yn gysylltiedig â nhw yn fy meddwl, a chawn enwau pobl yr oeddwn i yn meddwl eu bod yn perthyn iddyn nhw, ond roedd gen i ofn dweud dim am hyn rhag i'r lleill feddwl fy mod yn cyfeiliorni, ac yn gweld pethau nad oedden nhw yn bod mewn gwirionedd. Gan bwyll, aeth y mater hwn yn drech na mi, ac ni fedrwn ymatal rhagor rhag dweud am yr hyn a gawn ac a welwn, a chafwyd yn nes ymlaen fy mod yn iawn yn hyn o beth. Roedd y ddawn, o'i harfer, yn datblygu'n gyflym ynof.

Aeth Elwyn i'r gadair yng nghornel y 'stafell ac eisteddem ninnau mewn hanner cylch o'i flaen. Diffoddwyd y golau, a'r lamp fechan gyda'r bylb coch oedd yr unig oleuni inni.

Cafwyd presenoldeb, ac yn sydyn gwelwn wyneb yn edrych arnaf. Gwyddwn pwy ydoedd. Roedd wedi ymddangos y tro diwethaf y buom yno, ond y tro hwn dim ond ei wyneb oedd i'w weld. Gwilym Mersia oedd yno eto. Roedd ei wyneb yn hollol glir, fel lleuad lawn, mor glir fel y gallaf ei ddisgrifio'n berffaith. Mae ei wyneb yn grwn gyda bochau tewion a thagell yn hongian o dan ei ên; ei drwyn yn fychan, yn drwyn smwt braidd, ac mae ei ben yn hollol foel. Nid oes ganddo aeliau llygaid, yn wir, nid oes blewyn yn agos iddo. Ar y noson honno, byr fu ei ymweliad. Gwenodd arnom ac yna diflannodd. Ni chafwyd trafodaeth ag o y tro yma ond ymhen ychydig roedd presenoldeb cryf arall yno.

'Mi ydw i'n gweld merch efo gwallt coch hir ganddi,' meddai Elwyn. 'Mae hi'n gwisgo dilledyn hir at ei thraed, rhywbeth fel ffrog wen. Mae hi'n ferch dal iawn ac yn hynod o brydferth ac yn rhywiol iawn. Mi ydw i'n gweld canghenna'r coed yn taro yn erbyn ei gilydd fel pe bai hi'n storm o wynt a glaw.'

Pan ddywedodd hyn aeth rhyw ias drwof a chawn neges o rywle yn dweud pwy ydoedd y ferch hon. Gwyddwn yn iawn mai Eleanor de Montfort, gwraig Llywelyn ap Gruffudd, ydoedd. Onid oedd Gruffudd ab yr Ynad Coch wedi disgrifo'r coed yn taro yn erbyn ei gilydd yn ei gerdd fawr wedi cwymp Llywelyn?

'Be' sy'n digwydd rwan?' gofynnais iddo.

'Mae'r ferch yma mewn carchar, mewn castell. 'Dwi'n 'i gweld hi yn y carchar. Mae hi yno am tua dwy i dair blynedd.'

'Oes yna dŵr yn y carchar?' gofynnais.

'Oes.'

'Oes yna frain ar y twr?'

''Tydw i ddim yn gweld brain ar y twr ar y funud.'

'Oes yna goedwig gerllaw?'

'Oes. O! mi fedra' i weld y brain rwan, ac mae yna goedwig yn ymyl y castell lle mae'r ferch yma yn garcharor. Rwan, mae yna gysylltiad cryf iawn rhwng y brain yn y coed a'r twr. Mae hi yn dod allan o'r castell rwan. Mae hi'n cario piser yn ei dwylo ac yn mynd i 'nôl dŵr o ffynnon sydd gerllaw'r castell. 'Tydi hi ddim yn garcharor yno mwyach.'

O edrych yn ôl fe ddylwn fod wedi ceisio sgwrsio â hi er mwyn cael dyddiadau ac enw'r castell lle'r oedd yn garcharor, ond cawn y teimlad nad oedd yn deall y Gymraeg. Yn fy meddwl fy hun rydw i yn argyhoeddedig mai gwraig Llywelyn oedd y ferch hon, ac roedd cael ei phresenoldeb hi yn cryfhau yr hyn a deimlwn ers tro byd, sef bod Llywelyn ei hun yn mynd i gysylltu â ni yn y dyfodol. Ciliodd presenoldeb y ferch a gofynnais i Elwyn: 'Be' sy'n digwydd rwan?'

"Dwi'n cael rhywbeth gwahanol rwan. 'Dwi'n cael y dyddiad 1186, ac mae'r enw Nest yn dod.'

Ar yr un pryd cawn innau'r enw Gwenllian, ond ni ddywedais ddim, a meddyliwn tybed ai merch Llywelyn oedd hon? Ond nid oedd y flwyddyn yn iawn. Na, rhaid mai Gwenllian arall ydoedd. Bu tawelwch am rai eiliadau ac yna dywedodd Elwyn:

"Dwi'n cael yr enw Gwenllian rwan, a'r llythyren Rh.'

Dyna'r cyfan a gafwyd ar y pryd yn yr ystafell hon. Wrth chwilio llyfrau hanes am gyfnod y Tywysogion, deuthum o hyd i'r enwau Nest a Gwenllian. Nest oedd enw merch Rhys ap Tewdwr, tywysog y Deheubarth, a fu farw ym 1093, a Gwenllian oedd gwraig Gruffudd ap Rhys Tewdwr, ei fab. Bu hi farw yn ôl yr hanes yn y flwyddyn 1136. Merch Gruffudd ap Cynan, Brenin Gwynedd, oedd y Wenllian hon. Ai'r rhain oedd y ddwy y codwyd eu henwau gan Elwyn? Ond os felly, roedd y dyddiad 1186 yn anghywir, er mor debyg oedd y ddau ddyddiad – 1186 a 1136.

7.

Harold Yates

Aeth Meiriona i wneud paned cyn inni fynd i'r 'stafell lle'r oedd pethau Rhodri yn diflannu ohoni, ac ymhen rhyw chwarter awr aethom yno. Fel y cerddwn drwy ddrws y 'stafell hon aeth rhyw ias oeraidd drwof. Roedd hi'n oer ofnadwy yn y 'stafell, ac awyrgylch fileinig a chas yn ei llenwi. Gwyddwn yn iawn fod gennym ysbryd tra gwahanol i'r rhai eraill yr oeddem wedi eu cael hyd yma yn y tŷ. Cefais yr un teimlad yn union mewn man arall rai blynyddoedd ynghynt, ond nid oedd y casineb i'w gael y tro hwnnw.

Eisteddai Elwyn ym mhen pellaf y bwrdd a ninnau o'i gwmpas. Aeth i swyngwsg ysgafn.

''Dwi'n gweld rhyw ddyn yma,' meddai.

Ar hynny dechreuodd yr iasau fynd yn gryfach drwof, ond roedd hefyd ryw gasineb mawr yno, a daeth yn amlwg fod rhywun cas iawn gennym rwan. Ar hynny ymddangosodd gŵr main, gweddol dal ar Elwyn, ac erbyn hyn roedd yr awyrgylch yn ddychrynllyd iawn. Gwelwn ei wyneb yn hollol glir. Roedd golwg fileinig ofnadwy arno ac roedd yn amlwg nad oedd hwn yn rhywun i'w gymryd yn ysgafn. Edrychai ei wedd mor filain nes bod ei geg wedi ei hel i un ochr, cymaint oedd ei gasineb tuag at rywun neu rywbeth a oedd wedi digwydd iddo.

'Be' 'di dy enw di?' gofynnais.

'*Harold.*'

Atebodd yn uniongyrchol yn ei lais ei hun, ac roedd ei lais yn llawn casineb. Aeth y 'stafell yn oerach a'r awyrgylch yn fwy mileinig fyth. Cawn y teimlad nad oedd ganddo eisiau trafod dim gyda ni, ac roedd hi'n amlwg fod rhywbeth yn pwyso'n drwm iawn ar ei feddwl.

'Harold be'?'

'*Harold Yates*,' atebodd yn chwyrn.

'Pa flwyddyn ydi hi?'

'*1850*.'

Roedd yn ateb drwy gornel ei geg mewn llais milain.

'Mae hwn yn un peryg,' meddai Elwyn. "Tydw i ddim am adael iddo feddiannu fy nghorff i yn gyfan gwbwl. Mi ydw i'n gweld merch. Mae hi'n forwyn yn y lle yma.'

'Be' 'di'i henw hi?'

'Meri.'

'Meri be'?'

'Meri Griffiths. Mae o'n 'i chanlyn hi. Mi ydw i'n eu gweld nhw yn y coed y tu cefn i'r tŷ yma. Mae hi'n disgwyl amdano fo ers meitin.'

'Faint ydi oed Meri?'

'Yn ei hugeinia', tua thair i bump ar hugain oed. Maen nhw'n cyfarfod yn y coed.'

'Pa flwyddyn ydi hi?'

'1850.'

'Pa ddiwrnod?'

'Dydd Mawrth.'

'Faint o'r gloch ydi hi rwan?'

'Dau yn y p'nawn. O! mae 'na helynt rhwng y ddau. Mae yna goblyn o ffrae yn mynd ymlaen ac mae Meri yn gorffen y berthynas rhyngddyn nhw.'

Ar hynny dyma Rhodri yn bwrw iddo fo, yn eiriol felly.

'Be' 'dw i wedi'i 'neud i chdi, y diawl? Mi wyt ti'n cuddio 'maco i, ac yn cuddio'r sbanars 'dwi 'di'u gadel yma a minna'n beio'r plant 'ma a chdi sydd wrthi o hyd. Be' 'dw i wedi'i 'neud i chdi?'

Nid atebodd, ond roedd golwg fel llofrudd ar ei wyneb ac nid oedd gen i lai na'i ofn erbyn hyn, ond cadwai Elwyn yr ysbryd ffiaidd hwn o dan reolaeth. Daliai Rhodri i'w geryddu.

'Mae'n rhaid iti roi'r gore i dy gastie yn y tŷ 'ma. 'Does 'na ddim croeso iti yma, a beth bynnag, mi wyt ti wedi marw'r cythrel! Dos o'ma!'

Dywedodd Rhodri wrtho ei fod wedi marw, ond nid oedd Harold Yates yn meddwl hynny. Credai ei fod yn fyw o hyd a dyna oedd y maen tramgwydd ynglŷn ag o; ond roedd yn rhaid ceisio llareiddio rhywfaint arno. Ni fedrem ei adael yn y cyflwr mileinig hwn, neu mi fyddai yn dal i'w poeni'n arw, a 'doedd wybod beth a wnâi nesaf i'r teulu. Siaredais ag o.

'Harold, mae'n amlwg dy fod yn poeni am ryw ferch neu'i gilydd, ond mi wyt ti yng nghanol merched rwan, a mi fedri di ga'l unrhyw un wyt ti isio. Pam wyt ti'n amharu ar y bobol yn y tŷ 'ma?'

Yn sydyn cynhesodd y 'stafell rywfaint. Nid oedd yr ias mor fileinig ag yr oedd pan aethom iddi, ond nid atebodd y cwestiwn, ac er imi ofyn llawer o gwestiynau eraill iddo, nid oedd yn fodlon eu hateb. 'Doedd dim dewis gennym ond rhoi'r gorau iddo, ac ni chaed rhagor o gyfathrach rhyngom ag o. Ciliodd wedi hyn, ac ni chawsom fawr ddim o wybodaeth ganddo. Teimlwn ei fod yn casáu Rhodri am ryw reswm ond nid oedd gen i syniad pam ar y pryd, ac ni ddywedais ddim wrth y lleill.

Penderfynwyd rhoi'r gorau iddi, ond gwyddem y byddai'n rhaid dod yn ôl yn fuan i fynd i'r ymrafael â Harold Yates, oherwydd roedd yn amlwg ei fod wedi mynd i'w fedd yn ŵr mileinig iawn. Roedd yn rhaid inni gael gwybod ganddo beth oedd y rheswm am hyn, er mwyn ceisio ei liniaru fel y gallai adael y tŷ.

8.

Meri Griffiths

Ymhen rhai wythnosau aethom yn ôl i Fryntirion. Roedd yn rhaid inni geisio cael gwared â Harold Yates, o bawb, gan ei fod yn amharu mwy na neb arall ar y teulu. Diben mynd i gysylltiad ag ysbryd sy'n poeni teulu yw ceisio bod o gymorth iddo adael y lle a mynd yn ei flaen i'r byd nesaf, fel y caiff pawb yn y byd yma, o leiaf, lonydd ganddo.

Penderfynwyd mynd i'r ystafell fyw lle'r oeddem wedi cael presenoldeb nifer o ysbrydion, rhag ofn y byddai yno rai eraill nad oedden nhw wedi cysylltu â ni o'r blaen, a gwyddwn fod Meri yn siwr o fod yn y tŷ yn rhywle.

Teimlwn bresenoldeb rhywun yn dod atom i'r ystafell a chawn y teimlad fy mod wedi cyfarfod ag o yno o'r blaen. Pwy oedd yn sefyll wrth ochr Elwyn ond yr hen Risiart Wynne, ond 'doedd gen i ddim llawer o amynedd i siarad ag o, gan ei fod wedi bod mor boenus o dawedog y tro diwethaf iddo gysylltu â ni, ond dyma geisio cael rhagor o wybodaeth ganddo.

'Be' ma' pobol yn dy alw di?'

'*Dic*,' atebodd mewn llais hen a chrynedig.

Codwyd fy ngobeithion yn syth, a dyma ofyn rhagor o gwestiynau iddo, ond tawedog ydoedd. Roedd yn sefyll o'n blaenau â golwg drist iawn arno, ond, er holi llawer iawn arno a cheisio ei gael i sgwrsio gyda ni, ni ddywedodd yr un gair arall o gwbl wrthym. Buom yn sgwrsio am ryw ddeng munud ond unochrog oedd y drafodaeth. Sylweddolais nad oedd dim diben dal ati gydag o, a rhoed y gorau iddo drwy ei gau i ffwrdd yn feddyliol a thrwy ddweud wrtho am ei hel hi.

Ymhen ychydig wedi i Risiart Wynne adael, synhwyrwn rywun arall yn dod atom, ac yn sydyn safai merch ifanc yn ei hugeiniau wrth ochr Elwyn gan edrych arnom. Roedd ganddi wallt gweddol hir ond nid oeddwn yn gweld pa liw ydoedd gan mai rhith ysgafn oedd hi, er y ceid yno awyrgylch drom i'w chanlyn. Dechreuais ei holi.

'Be' 'di dy enw di?'

'*Meri*,' atebodd yn ddistaw.

'Meri be'?'

'*Meri Griffiths. A phwy 'dech chi, felly?*' gofynnodd.

Roedd hyn yn syndod ac yn rhywbeth newydd sbon i mi. Nid oedd yr un ysbryd wedi gofyn cwestiwn i mi o'r blaen. Atebais hi.

'Elwyn ydw i, a dyma Rhodri a Meiriona yn fy ymyl i yn y fan hyn, ac Aelwyn Roberts ydi'r gŵr arall. Mae o wedi bod yn berson yn ardal Llandygái.'

'*O.*'

Ni ddywedodd ddim arall, ond daliai i sefyll yno yn edrych arnom.

'Pa flwyddyn ydi hi?' gofynnais.

'*1850.*'

'Be' wyt ti'n 'i 'neud yma Meri?'

'*'Dwi'n forwyn yma.*'

'Be' 'di dy waith di yma?'

'*Pob math o waith – glanhau'r lle 'ma, cario coed tân, coginio a mân bethau eraill.*'

'Oes 'na forwynion eraill efo chdi yma?'

'*Oes.*'

'Be' 'di'u henwe nhw?'

'*Martha, ac Elin.*'

'Un o ble wyt ti?'

'Mae'r enwau Llanfor a Sarnau yn dod rwan,' meddai Elwyn.

'Oes 'na enw tŷ yn dod?'

'Oes, 'dwi'n cael Tan y Foel.'

Mae ystâd dai cyngor Llanfor ger Y Bala wedi ei henwi ar ôl hen ffermdy o'r enw Tan y Foel sydd yn furddun bellach. Teimlwn fod rhyw anniddigrwydd yn bod i ganlyn Meri, fod rhywbeth yn ei phoeni. Gofynnais ragor o gwestiynau iddi, ond nid atebai. Euthum ymlaen i'w holi yn obeithiol.

'Am sawl blwyddyn fuost ti'n forwyn yma?'

'*Tair blynedd.*'

Yn sydyn cawn yr enw Elizabeth o rywle.

'Pwy ydi Elizabeth?' gofynnais.

Cryfhaodd y teimlad o anniddigrwydd pan ofynnais hyn. Nid oedd Meri yn hapus o gwbwl fy mod wedi gofyn pwy oedd y ferch hon iddi, ac roedd yn amlwg fod rhywbeth yn bod rhwng y ddwy. Penderfynais mai gwell fyddai peidio â phwyso arni am wybodaeth am Elizabeth am y tro, ac y ceisiwn ddod â hi i'r drafodaeth ryw dro arall pan oedd wedi cael cyfle i ddweud rhagor am yr hyn a'i poenai wrthym.

Y patrwm cyffredinol wrth siarad ag ysbrydion ydyw mai fesul mymryn y daw gwybodaeth ganddyn nhw. Fel arfer ar y noson gyntaf ni chawn ond ychydig iawn o'u hanes. Maen nhw fel pe baen nhw yn eu cyflwyno eu hunain inni ar y tro cyntaf, ond, os awn yn ôl atyn nhw ar droeon eraill, maen nhw'n dechrau cynefino â ni, a ninnau gyda hwythau. Maen nhw'n dod yn fwy parod i ddweud am yr hyn sy'n eu poeni a hefyd mae'r berthynas rhyngom yn cryfhau drwy'r meddwl.

Ers tro byd bellach, rydw i yn cael enwau pobl ac yn gweld darluniau o bobl a lleoedd wrth gyfathrebu ag ysbrydion, hynny yw, mae'r ysbryd yn rhoi gwybodaeth ychwanegol i mi nad oeddwn yn ei chael o'r blaen. Mae pob dawn o'i hymarfer yn gyson yn cryfhau, ond ofnwn ddweud wrth y lleill am yr enwau ac am yr hyn a welwn rhag i mi fy nangos fy hun yn ffôl o'r herwydd. Mae'r pethau hyn yn mynd yn hollol groes i'r hyn sydd dan sylw yn aml, ond eto maen nhw yn gysylltiedig â'r ysbryd.

Yn sydyn cynhyrfodd Elwyn.

'Mae'r ferch yma wedi cael ei churo,' meddai.

61

'Gan bwy?'

'Harold Yates. Mi ydw i'n 'i weld o rwan yn 'i tharo hi efo procar.'

'Ymhle mae o'n 'i tharo hi?'

'Yn 'i phen.'

'Pam mae o 'di g'neud hyn?'

''Tydw i ddim yn siwr ar hyn o bryd. Mae yna ffrae fawr yn mynd ymlaen rhyngddyn nhw.'

Ar hyn gwelwn ffurf wan plentyn tua phedair oed yn sefyll wrth ochr Meri, a gwyddwn yn syth mai hi oedd ei mam, ond nid oedd wedi sôn wrthym am blentyn o gwbwl hyd yma. Roeddwn mewn penbleth beth i'w wneud, ond gwyddwn yn bendant ei bod yno, oherwydd fe safai o'm blaen yn glir fel grisial gan afael yn llaw Meri.

Penderfynais ddweud am yr hyn a welwn. Roedd pob dim yn rhy gryf i'w anwybyddu, gan obeithio ar yr un pryd nad oeddwn yn cyfeiliorni.

'Mae gen ti blentyn, Meri. Mi ydw i'n gweld merch fach efo chdi ac mae hi'n cydio yn dy law di.'

Ni ddywedodd ddim. Cawn y teimlad o gywilydd a theimlwn mai plentyn siawns ydoedd. Ni olyga hynny ddim o bwys i ni yn yr oes hon, ond nid 1997 oedd hi ond 1850, ac roedd bod yn fam i blentyn siawns yn y Gymru gul honno yn bechod anfaddeuol yng ngolwg y capeli a'r eglwysi.

Nid atebodd, a daeth y teimlad o gywilydd yn drwchus iawn drwy'r 'stafell.

'Be' 'di'i henw hi, Meri?' mentrais eto.

Nid atebodd eto. Nid oedd yn fodlon sôn amdani ac nid oedd yn berffaith fodlon fy mod wedi ei gweld, ond roeddwn am ddal ati i'w holi, oherwydd mi wyddwn yn iawn mai ei phlentyn hi ydoedd, a cheisiais ei seboni i weld a gawn ymateb.

'Mae gen ti ferch fach brydferth iawn, Meri. Mae hi'n hynod o annwyl ac mae gan bawb feddwl y byd ohoni.'

Ar hyn cododd Meri ei phen mewn balchder, ac roedd arlliw o wên ar ei hwyneb; ysgafnhawyd rhywfaint ar y teimlad o gywilydd. Ceisiais ddarganfod ei henw am yr eildro.

'Be' ydi ei henw hi, Meri? Paid â phoeni, 'nawn ni ddim deud wrth neb amdani. Mi 'nawn ni gadw'r gyfrinach yn ddiogel a 'fydd neb yn gw'bod dim. Dwed wrthon ni be' 'di'i henw hi.'

'*Kate*,' atebodd Meri yn ddistaw, â phetruster yn ei llais.

'Kate. Be' ma' pobol y capel yn 'i ddeud am hyn, Meri?' Sibrydodd yn isel a chryfhaodd y teimlad o gywilydd.

'*'Tyden nhw ddim yn gw'bod.*'

'Pwy 'di'i thad hi, wyt ti am ddeud wrthon ni?'

Nid oedd am ateb y cwestiwn hwn, ac er holi rhagor arni nid oedd yn barod i drafod ymhellach gyda ni. Lleihai a gwanhai ei phresenoldeb, a gwyddwn nad oedd diben parhau. Rhoddwyd y gorau iddi, ond teimlwn fod a wnelo Harold Yates rywbeth â Kate, a rhaid fyddai cael trafodaeth bellach ag o.

Ymhen ychydig wythnosau aethom yn ôl i'r 'stafell oer lle'r arhosai Harold, a'r noson honno roedd Meiriona gyda ni o gwmpas y bwrdd. Eisteddai Meiriona wrth ochr Elwyn. Nid oedd yr un ias fileinig yn bod yn y 'stafell y noson hon ag yr oedd ar y noson gyntaf, ac nid oedd yr un oerni yno, ond roedd yn oer, serch hynny. Yn sydyn teimlwn bresenoldeb yn gwingo i fyny fy nghefn ac yn dod atom. Yna, ar Elwyn, roedd yr ysbryd a gawsom ar y noson gyntaf, ysbryd Harold Yates.

'Mi wyt ti wedi rhoi curfa i Meri yn 'do? Pam 'nest ti hynny?' gofynnais iddo.

Ni chefais ateb a bûm yn ei geryddu am dipyn, ond nid atebodd, ac ni ddangosai unrhyw edifeirwch o fath yn y byd. Roedd golwg euog iawn arno, er hynny: rhyw hanner gwên euog, a golwg ar ei wyneb fel na faliai yr un botwm corn amdanom. Nid oedd y cerydd a gâi yn amharu dim arno. Parhai i fod yn beryglus yr olwg, ond nid oedd yr un mileindra ynddo y tro hwn, Tra oeddwn yn ei rhoi hi am iddo guro Meri, trodd yn y gadair yn araf gan wynebu Meiriona.

Gwyddwn yn iawn ei fod yn chwennych Meiriona. Roedd yn ddyn am ferched. Ni ddywedais ddim wrtho am hyn, ond gwyddwn bellach pam y casâi Rodri. Roedd yn genfigennus ohono, gan mai ef oedd gŵr Meiriona, a dyna oedd y rheswm pam roedd y cypyrddau yn y tŷ wedi cael eu tynnu oddi wrth y wal a'u malu'n deilchion; dyna hefyd oedd y rheswm pam roedd eiddo Rhodri yn diflannu oddi ar y bwrdd yno.

Ni ddywedodd Harold yr un gair wrthym y noson honno, a dylid bod wedi ceisio ei liniaru drwy siarad yn llai ymosodol a bygythiol ag o. Ni chafodd ein cerydd unrhyw effaith arno. Parhai i edrych arnom gyda'r hanner gwên euog a milain ar ei wyneb. Gwyddai yn iawn na ddylai fod wedi rhoi curfa i Meri, ac roedd rhyw fymryn o edifeirwch ganddo erbyn hyn. Sylweddolais fy mod wedi gwneud camgymeriad drwy ymosod arno, ac na chawn drefn arno y noson honno. O'r herwydd, rhoddwyd y gorau iddo am y tro, ond gwyddem y byddai'n rhaid inni fynd yn ôl ato rywbryd eto.

Yn syth wedi i Harold gilio, digwyddodd rhywbeth nad oeddwn wedi ei weld na chynt nac wedyn. Roedd rhywun arall wedi dod atom rwan, gŵr canol oed a barnu oddi wrth ei bryd a'i wedd, gyda gwallt du ganddo.

'Pwy wyt ti?' gofynnais iddo.

'*Dic*,' atebodd.

Ond nid yr un Dic â Rhisiart Wynne oedd hwn, ond person hollol wahanol. Cawn y teimlad fod rhyfela yn gysylltiedig â hwn; teimlwn fod y Dic yma wedi bod yn filwr yn y Rhyfel Byd Cyntaf; teimlwn hefyd fy mod yn ei adnabod, a'i fod wedi bod yn byw yn y cyffiniau. Roeddwn wedi adnabod gŵr o'r enw Dic a fu yn y Rhyfel Mawr pan oeddwn yn blentyn; ond nid arhosodd Dic gyda ni ond am ychydig eiliadau, a diflannodd cyn imi gael cyfle i'w holi yn iawn.

Wedyn synhwyrwn rywun arall yn dod atom, a gwelwn ŵr ifanc yn ei ugeiniau mewn gwisg milwr yn sefyll wrth ochr Elwyn. Roedd ei wallt yn olau, ac roedd golwg brudd iawn arno. Gwyddwn ar unwaith ei fod wedi cael ei ladd yn y Rhyfel.

'Be' 'di dy enw di?' gofynnais, ond ni chefais ateb ganddo.

'Mae o'n deud mai Franz ydi'i enw o,' meddai Elwyn ymhen ychydig.

Almaenwr oedd hwn, ond nid oedd neb ohonom yn medru'r

iaith. Pe bai un ohonom yn ei medru, yna byddem wedi cael sgwrs ag o. Er na fedr Elwyn ei siarad, byddai'r ysbryd yn siarad yn ei iaith ei hun drwyddo fo. Nid arhosodd ond am eiliad neu ddwy, yna, roedd rhywun arall yn sefyll yn ei le, rhywun mewn gwisg swyddogol na fedrwn ei gweld yn iawn, gwisg debyg i wisg yr Heddlu, ac roedd rhywbeth tebyg i fotymau ar ei ysgwyddau. Ni chafwyd cyfle i gyfathrebu ag o gan ei fod wedi diflannu yr un mor ddisymwth ag y daeth.

Ymddangosodd y tri enaid hyn i gyd o fewn tua hanner munud i'w gilydd. Ni chafwyd amser i hel meddyliau i'w holi yn iawn gan eu bod wedi diflannu yr un mor ddisymwth ag y cyraeddasant.

Pan fyddwn yn mynd i unrhyw le i geisio cael gwared ag ysbryd, nid oes gennym reolaeth o gwbwl ar bwy a fydd yn dod atom, a gall unrhyw un o'r ochr draw benderfynu ei fod yn dymuno cyfathrebu â ni. Nhw sydd yn dewis fel arfer, ac nid ni, ond, fel y gwelir yn nes ymlaen, mae'n bosibl gwahodd ambell ysbryd i ymddangos ger ein bron.

9.

Meri Griffiths a Harold Yates Eto

Cyn y byddai unrhyw obaith i'r teulu gael llonydd gan Harold
Yates, byddai'n rhaid i ni fynd i'r ymrafael ag o yn synhwyrol. Ar y
ddau dro y buom yn ei gwmni, ymosodol oedd ein hagwedd, ac
nid oedd hynny wedi llareiddio'r ysbryd cas hwn, heb sôn am ei
gael i adael y tŷ ac i groesi i'r ochr draw lle dylai fod.

Ymhen tipyn aethom yn ôl i geisio cael gwared â Harold Yates,
gan nad oedd pethau yn iawn yn y 'stafell oer o bell ffordd, ond,
i ddechrau, aethom i'r ystafell lle gwelsom Meri i weld beth a
ddigwyddai.

Wedi i ni fod yn mân-siarad ymysg ein gilydd am ychydig,
teimlwn rywun yn croesi atom.

'Mae 'na bresenoldeb yma,' meddwn.

'Oes,' meddai Elwyn. ''Dwi'n teimlo fod 'na rywun wrth y drws
acw.'

Roeddem i gyd ond Elwyn yn eistedd gyda'n cefnau at ddrws
yr ystafell. Yna, gwelwn ferch yn sefyll wrth ochr Elwyn. Nid oedd
yn ddieithr inni, oherwydd buom yn siarad â hi o'r blaen.

'Mae 'na ferch yn sefyll wrth eich ochor.'

'Oes, mae hi'n agos iawn, rwan.'

'Mi yden ni wedi cyfarfod o'r blaen, yn 'do?' meddwn wrthi.
'Be' 'di dy enw di?'

'*Meri.*'

'Meri be' wyt ti?'

'*Meri Griffiths, Griffiths.*'

'Mi yden ni wedi bod yn sgwrsio efo chdi o'r blaen, yn 'do, Meri? Pa flwyddyn ydi hi?'

'*1850.*'

Roedd yna olwg braidd yn drist arni hi heno. 'Ble'r wyt ti'n byw, Meri?'

'*Gweithio yma, yntê.*'

'Pwy ydi dy feistr di?'

'*Harold.*'

'Harold be' ydi o?' Dim ateb, ond ymhen ychydig dywedodd mewn llais ofnus iawn.

'*Harold, 'dwi ofn. 'Dwi'i ofn o.*'

'Oes, mae gen ti ofn Harold, yn 'does, Meri? Dwed wrthon ni be' mae o wedi'i 'neud i ti.'

'*Mae o wedi 'nghuro i, mae o wedi 'nghuro i efo procar.*'

'Pam ddaru o dy guro di efo procar, Meri? Be' oedd yn bod?'

'*'Dio ddim isio fi bellach, yn nac'di? 'Dio ddim isio fi.*'

'Pam nad ydi o ddim dy isio di, Meri?' Nid atebodd y cwestiwn hwn.

'Mae gen ti hogan fach, yn 'does, Meri? Pwy ydi'i thad hi? 'Tydi o ddim o bwys gynnon ni pwy 'di'i thad hi. Mae gynnon ni isio dy helpu di. Wyt ti am ddeud pwy 'di'i thad hi?'

'*Pwy 'dech chi'n feddwl ydi'i thad hi?*' meddai, ag ychydig o chwerwder yn ei llais.

'Harold 'di'i thad hi, yntê? Dwed wrthon ni, 'tydi o ddim o bwys gynnon ni o gwbwl.'

Ac ymhen ysbaid gyda llai o ofn yn ei llais erbyn hyn.

'*Harold, ie Harold ydi'i thad hi.*'

'Mae gen ti hogan fach brydferth hefyd. Mae gan bobol feddwl y byd ohoni. Mae pawb yn ca'l hwyl efo hi. Be' 'di'i henw hi?'

'*Kate.*'

'Be' 'di'r ail enw?'

'*Griffiths, Griffiths yr un fath â fi, yntê.*'

'Ymhle gest ti dy fagu? Gest ti dy fagu yn y cylch yma ne' dwad yma i fyw 'nest ti?'

'*Llanfor.*'

'Ymhle'r wyt ti'n byw yn Llanfor?'

'*Yn y Graig.*'

'Mi ydw i'n gw'bod yn iawn ymhle mae'r Graig. Mae'r tŷ i fyny yn y mynydd, yn 'tydi, Meri? Faint 'di dy oed ti?'

'*Wyth ar hugain, wyth ar hugain oed.*'

'Be' 'di enw dy dad a dy fam?' Dim ateb.

'Wyt ti am ddeud wrthon ni be' ydi'u henwe nhw?'

Bu am dipyn cyn ateb.

'*Gl . . . Glyn.*'

'A be' 'di enw dy fam?'

'*Elizabeth.*'

'Faint oedd dy oed di'n marw, Meri? Wyt ti am ddeud wrtha' i?' O edrych yn ôl roedd yn gwestiwn digon ffôl imi ei ofyn.

'*'Dwi ddim wedi marw,*' oedd ei hateb.

Er mai 1997 oedd y flwyddyn i ni a oedd yn ei holi, nid yn y flwyddyn honno yr oeddem yn awr, ac roeddwn wedi anghofio hyn. Y flwyddyn i ni i gyd y noson honno oedd 1850 ac nid 1997. Wrth gwrs bod Meri wedi marw i ni, ond nid yn ein hamser ni yr oeddem ar y pryd, ond yn ôl yn ei hamser hi ym 1850, pan oedd yn fyw ac yn iach.

Cefais y teimlad fod rhywbeth wedi digwydd i'w merch Kate, ac roeddwn yn bendant ei bod wedi marw yn blentyn ifanc.

'Pa oedran oedd Kate yn marw?' gofynnais iddi. Bu am ysbaid cyn ateb a daeth teimlad o dristwch trwm drwy'r 'stafell.

'*Pump, pump oed.*'

'Ymhle gafodd hi'i chladdu, wyt ti am ddeud wrthon ni?' Nid atebodd y cwestiwn hwn.

'Wyt ti wedi'i chladdu hi yn ymyl dy gartre' di?' Ni ddywedodd ddim.

Ceisiais ganddi ddweud wrthym beth oedd enw person y plwy, ond roedd yn gyndyn i ateb rhai cwestiynau. Rhoddais y gorau i'w holi am y pethau hyn, gan y cawn y teimlad nad oedd yn fodlon datgelu rhai manylion am ryw reswm, a cheisiais drywydd arall a oedd yn llai ingol iddi.

'Faint o forwynion er'ill sy'n gweithio efo chdi yma?'

'*Dwy.*'

'Wyt ti'n cofio'u henwe nhw?'

'*Martha ac Elin.*'

'Faint 'di'u hoed nhw?'

'*Martha, tua phump ar hugain oed, ac mae Elin yn hŷn, yn ddeg ar hugain.*'

'Yden nhw'n briod?'

'*Mae Elin yn briod.*'

'Efo pwy, be' 'di enw gŵr Elin?'

'*Ifor.*'

'Ifor be'?'

'*Huws, Ifor Huws.*'

'Ymhle maen nhw'n byw? Mae'n rhaid 'u bod nhw'n byw yn ymyl yma'n rhywle?'

'*Tan . . . Tan y Foel.*'

'Ymhle mae Tan y Foel?'

'*Ar y bryn, ar y bryn.*'

'Ar y bryn ymhle, Meri? Wyt ti'n cofio ymhle?' Ni chafwyd ateb i hyn.

'Merch o ble ydi Martha 'te?'

'*O'r Bala.*'

'Martha be' ydi hi?'

'*Martha Ellis.*'

'Wyt ti'n cofio ymhle roedd hi'n byw yn Y Bala?'

Ymhen ychydig eiliadau atebodd.

'*Mewn stryd hir.*'

'Oes 'na enw ar y stryd?'

''Dwi'n methu gweld enw ar hyn o bryd,' atebodd Elwyn, ond ymhen ychydig: 'O, Fron . . . Fron rhywbeth.'

'Ai Stryd y Fron ydi'r enw?' Ni chafwyd ateb.

'Be' 'di enw dy w'nidog di, Meri? Pa enwad wyt ti? I ba gapel wyt ti'n mynd?'

''Dwi'n ca'l Sa . . . Sa . . . Salem,' meddai Elwyn.

'Be' mae pobol y capel yn 'i ddeud am Kate, Meri?' Atebodd yn betrusgar â'i llais yn isel.

69

''Den nhw ddim yn gw'bod, 'den nhw ddim yn gw'bod.'

''Den nhw ddim yn gw'bod fod gen ti blentyn?'

'Na.'

'Ydi Harold wedi priodi? Ydi tad Kate wedi priodi?'

'Do, rywdro.'

'Ond mae o wedi cael gwared â'i wraig yn 'do? Be' 'di'i oed o, Meri? Mae o dipyn yn hŷn na chdi'n, yn 'tydi?'

'Yn tynnu am hanner cant, mae'n siwr.'

'Ymhle mae o'n byw? 'Tydi o ddim yn byw yma, yn nac'di? Be' 'di'i waith o, Meri?'

'Yma weithie. Mae o'n mynd ac yn dwad.'

'Ai dwad yma i dy weld di mae o?'

Trodd ei llais yn chwyrn â'r cwestiwn hwn.

'A rhai eraill.'

'Be' wyt ti'n 'i feddwl – 'a rhai eraill'? Dwad i weld pwy mae o yma? Oes 'na ferch arall, Meri? Ydi o'n dwad yma i weld merch arall?'

Roedd hi'n gyndyn iawn i ateb y cwestiynau hyn, a chawn yr ymdeimlad fod y ffrwgwd a fu rhwng y ddau yn ymwneud â merched eraill.

'Be' 'di enw'r ferch arall yma?'

'Mae o'n 'u gweld nhw i gyd.'

Roedd dicter yn ei llais.

'Ydi o'n 'u gweld nhw i gyd? Wyt ti'n ffrindie efo Harold?'

'Mae o'n greulon. 'Dio isio dim byd i'w 'neud efo fi rwan.'

'Pwy sydd ganddo fo rwan?'

''Dwi ddim yn gw'bod, 'dwi ddim isio gw'bod.'

'Un o ble ydi o, 'te? Ai Sais neu Gymro ydi o?'

'Sais.'

'Ydi o'n byw yma?'

''Dio ddim yn byw yma, dim ond dwad yma ambell dro, mae o jyst yn dwad.'

Yna, yn hollol groes i'r sgwrs rhyngom, gwelwn ddarlun yn fy meddwl o Meri yn gadael y lle hwn ac yn mynd i weithio fel morwyn ar fferm arall.

'I ble est ti o fan hyn? Be' 'di enw'r lle yr est i weithio iddo fo o fan hyn?'

'*Garn, Y Garn.*'

'Y Garn ymhle, yn ymyl Craig y Garn?'

Gwyddwn yn dda iawn am y lle hwn. Bûm yn byw yno fy hunan pan oeddwn yn blentyn, am dair blynedd. Mae i fyny yn y mynydd oddeutu milltir a hanner uwchben Y Fron-goch, gyda chraig Y Garn yn glòs y tu ôl i'r tŷ. Roedd ffordd drol garegog iawn yn arwain at y lle a'n teulu ni oedd yr olaf i fyw yma, a chwalwyd yr hen dŷ i'r llawr erbyn hyn.

'*Ie.*'

'Ie, yn Y Fron-goch yntê?'

Cawn y teimlad fod Meri yn hapus iawn gyda'r teulu yn y lle hwn.

'Pwy oedd y teulu oedd yn byw yno Meri? Hen bobol iawn oedden nhw, yntê?'

'*Richards. Richards.*'

'Be' oedd 'i enw cynta' fo? Be' oedd enw'r mistar, wyt ti'n cofio?'

''Dwi'n ca'l y llythyren A, 'dwn i ddim ai fy nychymyg i ydi o, ond 'dwi'n ca'l Arthur,' atebodd Elwyn.

'Be' oedd enw'r feistres?'

'*Catrin,*' atebodd Meri.

'O ble'r wyt ti'n cael dŵr, Meri? 'Dwi'n dy weld di yn 'nôl dŵr yn Y Garn. Mi wyt ti'n cerdded yn o bell i'w 'nôl o, yn 'dwyt ti?' meddai Elwyn.

'Mae hi'n dangos 'i hun yn golchi dillad i mi rwan, golchi mewn afon, yn golchi dillad yn yr afon.'

'Be' 'di enw'r afon?'

'C . . . Cym . . . rywbeth.'

'Pwy sy'n byw yn dy ymyl di yn Y Garn? Be' 'di enw'r ffarm agosa'?'

'*Yr Hafod.*'

'Hafod be'?'

''Dwi'n ca'l gair, 'dwi ddim yn siwr be', mae o'n dechra' efo H. Afon Hesg,' meddai Elwyn.

'Ai Hesgin ydi o?'

'Hesg, ia, Hesgin, ia Afon Hesgin. Mae'r gair Ellis yn amlwg yn fanna, 'dwi ddim yn siwr ai fy nychymyg i ydi o, ond mi 'dwi'n ca'l Wyn, ond 'dwn i ddim. 'Dwi'n ca'l Ellis Wyn, 'dwi ddim yn siwr.'

'Oes 'na dipyn o ffermydd yn ymyl Y Garn?'

'Mae gen i ddarlun yn fy meddwl rwan o'r bryn 'ma a lle creigiog,' meddai Elwyn. ''Dwi'n dychmygu gweld y lle, mae tai i'w gweld o gwmpas, hynny ydi, ffermydd i'w gweld o gwmpas.'

'Ym mha flwyddyn est ti i weithio i'r Garn, Meri?'

'*1856.*'

'Faint o weision sydd yno?'

''Dwi'n gweld dau o weision, Edwyn ac Alun. Mae'r enw Preis yn dwad imi,' meddai Elwyn.

'Pam yr enw Preis?'

''Dwi ddim yn siwr. Hwyrach mai Preis ydi meistar y lle.'

'Y gŵr bia'r lle?'

'Ia.'

'Pryd ddaru ti briodi, Meri? Pa flwyddyn oedd hi?'

'*1858.*'

'Be' 'di enw'r gŵr?'

'*Alfred.*'

'Ymhle ddaru chi briodi, ym mha gapel ddaru ti briodi?'

'Mae gen i ddarlun o gapel bychan rwan, 'dwi'n meddwl mai S . . . Saron neu rywbeth tebyg ydi o,' meddai Elwyn.

'Be' ydi dy enw di ar ôl priodi, Meri? Be' wyt ti rwan, Meri? 'Dwi'n methu gweld enw'r gŵr.'

'*Ellis.*'

'Meri Ellis. Faint o blant gest ti, Meri, efo'r gŵr?'

'*Pedwar.*'

'Be' 'di'u henwe nhw?'

'*Alis.*'

'Dyna enw neis yntê – Alis. A be' 'di enwe'r lleill?'

'*Betsan, Hywel a Huw.*'

'Faint ydi'u hoed nhw, be' 'di'u hoed nhw rwan?'

''Dwi'n cael darlun ohonyn nhw yn fy meddwl rwan,' ymunodd

Elwyn. 'Mae'r ddwy ferch fel 'dwi'n 'u gweld nhw rwan tua saith neu wyth, y genethod, maen nhw i gyd yn agos iawn i'w gilydd. Mae'r ddau fachgen, wel, 'tydyn nhw ddim yn edrych fel 'tai mwy na rhyw flwyddyn rhyngddyn nhw i gyd. Y bechgyn ydi'r rhai ieuenga', merch, dwy ferch yn gynta', y ddwy ydi'r rhai hyna'. Alis ydi'r hyna' a wedyn Beth neu Bet . . . Bets . . . Betsan, ac wedyn mae Hywel ac wedyn mae Huw.'

'Faint 'di oed Hywel a Huw?'

'O, mae Huw tua phedair, a Hywel tua phump. Mae'r ddwy arall yn hŷn, blwyddyn rhyngddyn nhw i gyd.'

'Ym mha flwyddyn gafodd Betsan 'i geni? Wyt ti'n cofio, pryd gafodd hi'i geni?' gofynnais iddi.

'Mae hi'n gymysglyd braidd efo'r dyddiada' yma rwan,' meddai Elwyn.

'I ble est ti i fyw ar ôl priodi, be' 'di enw'r tŷ?' gofynnais drachefn.

'Ges i ddau enw rwan yn sydyn iawn, rhywbeth fel Rhewl ges i i ddechra', ac wedyn mi ges i Helyg, ac mi ydw i'n gweld prenna' helyg, coed helyg felly, dyna oedd yr ateb, ond 'dwi ddim yn siwr iawn,' meddai Elwyn.

'Ym mha blwy yden ni, 'te?'

'*Llangywair.*'

'Llangywair, mi wyt ti'n byw ym mhlwy Llangywair wyt ti, ar ôl priodi Alfred?'

'Yn rhyfedd iawn 'dwi'n ca'l yr enw Afallon, ond 'dwi ddim yn gw'bod,' meddai Elwyn.

'Be' 'di oed Alfred ynte', Meri?'

'*Pedwar deg tri, tair a deugain.*'

'Pan ddaru chi briodi, ie?'

''Dwi ddim yn siwr be' 'di'i oed o, fel 'dwi'n 'i weld o rwan, felly,' meddai Elwyn.

'Un o ble oedd Alfred?' Bu tipyn o seibiant cyn y daeth ateb.

''Dwi'n cael Rhyd Olau neu Rhyd Olion, 'dwi ddim yn siwr,' meddai Elwyn.

'Ai Rhyd Olwen ydi o?'

''Ella. Rhyd Olion oeddan ni'n 'i ddeud, ond mi ydw i'n gw'bod am le o'r enw hwnnw o gwmpas fy nghartre' i. Mi alla' fo fod yn Rhyd Olwen neu Rhyd Olau.'

'I ba gapel wyt ti'n mynd ym mhlwy Llangywair, 'te?'

''Dwi'n teimlo mai i'r eglwys maen nhw'n mynd. Eglwyswr oedd Alfred,' atebodd Elwyn.

'Oes 'na enw eglwys?' Ni chafwyd ateb. 'Be' 'di enw'r person, 'te?'

'Mae Morgan yn dwad,' meddai Elwyn.

'Oes 'na enw arall?'

'Lewis, Lewis.'

'Morgan Lewis?'

''Dwi'n teimlo fod Meri yn mynd yn bellach rwan. Mae hi'n cilio oddi wrthon ni,' meddai Elwyn.

Ar hynny daeth yn amlwg nad oedd gan Meri awydd i ddal ati i drafod a rhoed y gorau iddi.

Daeth pethau diddorol i'r amlwg yn y sgwrs gyda hi. Dywedodd fod Martha yn byw mewn stryd hir yn Y Bala ac mai enw'r stryd oedd Y Fron. Ni fedrwn feddwl am ba stryd yr oedd yn sôn gan nad oedd, hyd y gwyddwn i, enw o'r fath ar yr un stryd yn Y Bala. Yn fy ngwely ymhen misoedd lawer, tua phedwar o'r gloch yn y bore, gwelwn garreg neu lechen las yn fy meddwl wedi ei gosod mewn wal tŷ, ac wedi ei gerfio arni roedd yr enw Fron ac ysgrifen arall oddi tano na fedrwn ei gweld yn glir. Roeddwn yn sefyll mewn stryd, ond ni allwn weld pa un oedd hi. Ymhen rhai munudau fe'm gwelwn fy hun wedi camu'n ôl oddi wrth y garreg ac yn sefyll mewn stryd y gwyddwn amdani yn iawn. Stryd Arenig yn Y Bala ydoedd, ac edrychwn ar y garreg o bellter bellach. Mae'n stryd hir, bron yr un hyd â'r stryd fawr. Rhuthrais yno yn syth bin ar ôl codi a dyna lle'r oedd y garreg a welais, wedi ei gosod o dan y bargod ar un o'r tai ac wedi ei gerfio ynddi roedd 'Fron Terrace, A. D. 1874'. Rydw i wedi ei phasio gannoedd o weithiau ac mae'n bosibl iawn fy mod wedi ei gweld o'r blaen, ond ei bod wedi cilio o'r cof yn llwyr.

Mae'n bosibl fod yna ddryswch yma hefyd. Cawsom y flwyddyn 1850 gan Meri, ond mae'r dyddiad yn wal y tŷ yn dweud mai ym 1874 yr adeiladwyd rhes dai Y Fron.

Mae'r enwau Llanfor, Tan y Foel, Y Graig, Y Garn, a'r Fron-goch i gyd yn ymyl Y Bala, a meistr tir fferm Y Garn yr adeg honno oedd Mr Preis, perchennog stad Y Rhiwlas. Roedd y lle yn rhan o stad Y Rhiwlas. Mae'r Hafod y tu ôl i graig y Garn, ond nid y fferm agosaf ati. Mae lleoliad fferm Rhyd Olwen hefyd yn yr un ardal, ac mae afon Hesgin heb fod ymhell o'r Garn.

Roedd yn rhaid inni geisio cael gafael ar Harold yn y 'stafell oer. Cafodd Meri ddweud ei chŵyn wrthym ac roedd ceisio cael gwared â Harold yn ddyletswydd arnom. Tybiem hefyd y byddai, o bosibl, yn barod i siarad â ni, dim ond i ni ei drin yn synhwyrol drwy swcr, a pheidio â bod yn ymosodol. Aethom i'r 'stafell oer, a chawn yr un ias ag a gefais y troeon o'r blaen yn dal ynddi. Roedd presenoldeb Harold yno o hyd.

Aethpwyd drwy'r broses arferol wedi inni fynd i mewn iddi.

'Mi ges i awel o wynt rwan,' meddai Elwyn yn sydyn.

Teimlwn bresenoldeb Harold yn hofran o'm cwmpas, a chawn yr iasau cryf yn fy nghefn, a'r rheini'n gweithio i fyny i'r pen. Eisteddai Rhodri gyda ni wrth y bwrdd, ac nid oeddwn i'n fodlon iawn iddo fod yno o gwbl; ond, cyn belled â bod Rhodri yn cadw'n ddistaw, yna ni fyddai yn taflu Harold oddi ar ei echel. Gwyddwn fod Harold yn ei gasáu oherwydd ei wraig Meiriona.

'Mae 'na bresenoldeb cryf yma ac mae o'n cryfhau o hyd. Mae o'n gryfach fyth rwan,' meddwn.

Cytunodd Elwyn ei fod yn hofran o gwmpas y 'stafell, ond nid oedd yr un oerni yn y lle erbyn hyn. Dywedais eto fod rhywun gyda ni.

'Mae 'na ryw arswyd yn mynd drwydda' i rwan ac mae gen i deimlad mai dyn ydi o,' meddai Elwyn. 'Mae o'n dwad yn agos rwan, ydi, mae o'n rhywun mewn tymer ddrwg.'

'Pa flwyddyn ydi hi?'

'Tua 1850 'dwi'n teimlo. Y dyn 'ma, 'dio ddim yn rhyw hapus o gwbwl.'

'Oes 'na enw'n dod? Be' 'di dy enw di?'

Fel yr oeddwn i'n siarad ag o newidiai gwedd Elwyn yn gyflym, ac yna roedd rhywun arno. Gwyddwn yn iawn pwy ydoedd.

'Be' 'di dy enw di, wyt ti am ddeud wrthon ni?'

Ar hyn dyma lais chwyrn a milain yn ateb.

'*Harold.*'

'Harold be' wyt ti?'

'*Harold, Harold Yates.*'

'Be' sy'n bod Harold, mi wyt ti'n edrych yn frwnt iawn, be' sy'n dy boeni di?'

'*Be' 'dech chi'n 'i 'neud yma?*' gofynnodd yn frwnt.

'Be' wyt ti'n 'i feddwl 'Be' 'den ni'n 'i 'neud yma' Harold?'

Syllai arnom yr un mor gas â'r troeon o'r blaen. Roedd ei wyneb yn llawn düwch storm, ac roedd yn amlwg iawn ei fod wedi mynd i'r bedd â rhywbeth yn ei boeni yn ddirfawr, ond beth?

Sylweddolais y byddai'n rhaid ei drafod â gofal mawr er mwyn ceisio ei gael i adael y tŷ hwn a mynd yn ei flaen i'r byd nesaf, oherwydd roeddwn yn bendant ei fod yn methu mynd rhagddo, a'i fod yn yr ystafell hon ers yr adeg y bu farw; ac roedd yr un mor groes a phiwis yn awr ag yr oedd pan oedd o ar y ddaear. Er nad oedd mor beryglus â'r tro cyntaf y buom yn ei drafod, roedd y casineb yn dal i fod ynddo a'n dylestwydd ni oedd ceisio bod o gymorth iddo i groesi i'r ochr draw drwy ei gael i ddweud wrthym beth oedd yn ei boeni. Nid ysbryd i'w gymryd yn ysgafn oedd Harold Yates, yn sicr.

'Be' yden ni wedi'i 'neud i ti?' gofynnais iddo. Atebodd drwy ofyn yn filain:

'*'Dech chi wedi bod yn gwrando ar yr hogan 'na?*'

Gwyddwn mai at Meri yn y 'stafell arall y cyfeiriai.

'Pa hogan?'

'*Meri yntê.*'

'Meri, be' sy'n bod ar Meri?'

'*Mae hi'n deud celwydda' amdana' i ymhob man. Mae hi wedi deud celwydda' amdana' i.*'

'Be' mae hi wedi bod yn 'i ddeud amdanat ti? Pam mae hi'n deud celwydde, Harold? Mae hi'n deud wrthon ni dy fod wedi rhoi cweir iddi. Ydi hynny yn wir? Pam roist ti gweir iddi hi, pam 'nest ti ei dyrnu hi?'

Ar hyn daeth Rhodri i i mewn i'r sgwrs.

'Ti 'di tad y plentyn yntê, Harold?'

''Fedrith hi ddim profi hynny yn na fedar? Mi fasa' hi'n licio.'

'Ond mi roist ti gweir iddi, Harold, efo procar? Pam roist ti gweir iddi?' gofynnais innau.

'Am 'i bod hi'n deud wrth bawb mai fi ydi tad y plentyn.'

'Be' oedd y plentyn, merch neu fab?'

''Dwi'm isio gw'bod, 'dwi ddim isio gw'bod.'

'Wyt ti ddim yn falch o'r plentyn 'te?'

''Tydi o ddim byd i'w 'neud efo fi. Roedd hi'n 'nabod llawer o ddynion.'

'Nid y ti ydi tad y plentyn felly, nage?'

''Dwi yma'n trio'i rhwystro hi rhag deud y petha' 'ma wrth bawb sydd o gwmpas. Mae'r gennod 'ma, ma' nhw i gyd yn siarad.'

'Pwy ydi'r gennod er'ill sydd yma? Be' 'di'u henwe nhw?'

'Y morwynion er'ill?'

'Ie, be' 'di'u henwe nhw?'

'Martha yntê.'

'Martha?'

'Martha ac Elin, yn hel straeon.'

'Wyt ti'n . . .' Torrodd ar fy nhraws yn filain.

''Dech chitha' o'u plaid nhw, 'dwi'n gweld. 'Dwi'n teimlo bo' chitha' o'u plaid nhw.'

'Na, 'tyden ni ddim o blaid neb. Ryden ni am dy helpu di yn un peth, os wyt ti'n fodlon i ni dy helpu di. Ond ryden ni'n poeni dy fod wedi rhoi cweir i Meri efo'r procar, ac yn methu deall pam roedd angen gwneud hynny. A rhoi cweir i ferch hefyd.'

Daeth newid i'w agwedd a'i wedd gyda hyn, a daeth edifeirwch i'w lais. Roedd yn dechrau meddalu.

'Wel, 'ddylia 'mod i ddim wedi g'neud 'falle, ond o'dd . . .'

Torrais ar ei draws.

'Pam roist ti gweir iddi hi? Be' oedd yn bod?'

'Am 'i bod hi'n deud mai fi ydi'i thad hi, a 'mod i wedi ei gadael hi i lawr. 'Fedra' i'm 'u diodda' nhw, 'fedra' i'm 'u diodda' nhw,' meddai yn hallt.

''Nest ti ddim mynd efo merch arall? Dwed wrthon ni efo pwy wyt ti'n mynd?'

Daeth rhyw wên goeglyd i'w wyneb a daeth tôn sarhaus i'w lais.

'Pwy wyt ti'n feddwl?'

'Ai Elizabeth ydi hi?' Ni ddaeth ateb i hyn.

'Pam wyt ti'n dwad yn ôl i'r tŷ yma, Harold?' gofynnodd Rhodri. 'Ryden ni yn gw'bod dy hanes di efo'r merched 'ma. Pwy ydi Elizabeth?'

''Dwi'n cael y teimlad 'i bod hi'n gweithio mewn tafarn yn Y Bala,' atebodd Elwyn.

Roedd ei lais wedi troi'n gryg fel pe bai mwg baco yn effeithio arno.

'Mae'r llais wedi mynd yn od rwan, mae o'n effeithio ar fy llais i,' meddai Elwyn. ''Dwi ddim yn siwr a ydw i isio rhoi gormod o raff iddo fo.'

'Pam roist ti gweir i Meri?' gofynnais iddo eto.

'Am 'i bod hi'n cega ac yn deud mai fi ydi tad y plentyn, a 'mod i wedi caru hefo hi. 'Fedra' i ddim 'u diodda' nhw'n swnian.'

'Ond 'dwyt ti ddim yn mynd efo merched er'ill?'

Daeth newid i'w lais a chaledodd ei agwedd.

'Be' 'di hynny i'w 'neud efo chdi?

Daeth Rhodri i mewn i'r sgwrs yn y fan hyn.

'Mi wyt ti'n gallu mynd drwy'r tŷ i gyd, mi ydw i wedi dy weld di yn y gwydyr yn sefyll y tu ôl imi, yn 'do?'

'Mi fedra' i fynd i unrhyw le fynna' i, siwr,' atebodd yn sarhaus.

'Wyt ti'n fy 'nabod i? Be' ydi f'enw i?' holodd ymhellach.

'Rhodri yntê.'

Roedd ei lais wedi caledu, a gofynnais innau yr un peth iddo.

'Wyt ti'n fy 'nabod i, 'te? Be' ydi f'enw i?'

''Dwi ddim yn gw'bod,' meddai yn sarrug.

'Mi wyt ti'n 'y ngwylio i'n y tŷ yma, yn 'dwyt ti, Harold? Be' ydw i wedi'i 'neud i ti?' gofynnodd Rhodri.

Atebodd mewn llais mileinig iawn, yn yr un cywair ag yr oedd pan fuom yn sgwrsio ag o ar y noson gyntaf.

''Dwi ddim yn dy licio di,' meddai, gyda'r pwyslais ar y 'di'.

Sylweddolais fod pethau'n dechrau mynd yn flêr. Roedd yn rhaid inni beidio â bod mor ymosodol gydag o. Roedd wedi dod bellach i drafod yn synhwyrol gyda ni, ac roedd perygl y byddai'n mynd yn ôl i'w gragen pe daliem ati fel hyn yn rhy hir, ac nid oedd yn beth da i Rhodri ddal arno fo o gwbwl.

'Ond mi wyt ti'n licio'i wraig, yn 'dwyt?' gofynnais iddo. 'Mi wyt ti'n hoffi Meiriona, yn 'd'wyt ti, Harold? Mi wyt ti'n ddyn merched, yn 'dwyt ti?'

Ni ddywedodd ddim ond amneidiodd mewn cytundeb, a chafwyd gwên lydan ganddo. Dechreuodd chwerthin yn ysgafn, a thrwy hyn fe'i cafwyd yn ôl i'r cywair iawn.

'Dwed i mi ynte', Harold, o ble'r wyt ti'n dod? Ymhle gest ti dy eni?'

'*Croesoswallt*,' meddai, ac erbyn hyn aeth ei lais yn dynerach, ond gwyddwn fod rhywbeth yn ei boeni ynglyn â'r lle.

'Be' sy'n dy boeni di yng Nghroesoswallt? Be' ydi'r mater? Mae yna rywbeth yn dy boeni di?' gofynnais eto.

Nid atebodd y cwestiwn. 'Doedd o ddim yn fodlon dweud dim, a cheisiais ddilyn trywydd arall.

'Mi wyt ti wedi dysgu Cymraeg hefyd yn 'do? Mi wyt ti'n medru'r iaith, yn 'dwyt?'

'*Dipyn bach*,' meddai, gan nodio'i ben.

Ceisiais ei gael i ddweud ymhle y cafodd ei eni a'i fagu, ac enw'r tŷ, ond 'doedd dim i'w gael ganddo ar y pwnc yma.

''Nest ti briodi, Harold? Be' oedd enw dy wraig di?'

'*Catherine.*'

'Catherine be'? Be' oedd 'i henw hi cyn priodi?'

Ni chafwyd ateb er dal arno am gryn amser, a chawn yr ymdeimlad nad oedd yn gyfeillgar â hi o gwbwl. Yna gwelwn yr ateb.

'Mae Catherine wedi dy adel di, yn 'tydi hi? Pam ddaru hi dy adel di?'

Ni ddaeth ateb, ond cawn yr argraff nad oedd pethau'n dda o gwbwl rhwng y ddau, am ei fod yn cyboli â merched eraill, a phan awgrymwyd hyn wrtho, nodiodd ei ben gan wenu yn braf arnom.

'Mi wyt ti yn mynd efo Elizabeth ac yn canlyn Meri ar yr un

pryd, yn 'dwyt ti, a hi sydd wedi dod rhyngot ti a Meri yntê?'
Nodiodd Harold ei ben mewn cytundeb.

'Ydi, mae o'n cyd-weld,' meddai Elwyn.

Gofynnais iddo a wyddai fod Kate wedi marw? Gofynnwyd
hefyd iddo enwi ei thad hi os nad fo'i hun ydoedd, ond nid
atebodd yr un o'r cwestiynau hyn.

'Ym mha flwyddyn fuost ti farw Harold?'

'*1873.*'

'Ymhle'r oeddet ti'n byw bryd hynny?'

'Croesoswallt,' atebodd Elwyn. 'Mae gen i deimlad mai rhyw
fath o borthmon oedd o, porthmon yn prynu gwartheg ac yn
prynu anifeiliaid. Roedd o'n mynd o gwmpas yr ardal yma ac ardal-
oedd eraill hefyd.'

'Ac yn 'u cerdded nhw oddi yma?'

'Mi fedra' i weld gyr o wartheg a bechgyn, plant ifanc a chŵn
yn 'u hel nhw.'

'Ymhle'r yden ni?'

''Dwi ddim yn siwr. Mi fedra' i weld y wlad o gwmpas, ond
'fedra' i ddim deud ymhle.'

'Ymhle mae o'n gwerthu'r gwartheg? Ymhle rwyt ti'n 'u gwerthu
nhw, Harold? Mi wyt ti'n g'neud pres mawr, yn 'dwyt ti? Mi wyt
ti'n cael elw da yn y gwartheg yma ac mae gen ti ddigon o bres, yn
'toes?' Daeth gwên i'w wyneb ond nid atebodd y cwestiynau hyn.

''Dwi'm yn teimlo'i fod o'n 'u gyrru nhw i Lunden nac unlle
felly, ond Croesoswallt, Amwythig, rhywle ffor'na. O, mae 'na
ddynes, mi faswn i'n deud mai'i fam o ydi hi. Mae o'n byw efo'i
fam,' meddai Elwyn.

'Oes 'na enw tŷ yn dwad?'

''Dwi'n ca'l gair Saesneg. 'Dwi'n ca'l enw Saesneg, The Foad.
'Dwi'n ca'l y gair Jenkins neu Jennings: enw stryd ydi hon, achos
rown i'n edrych ar Jennings Street. Mae 'na hen wraig. Mae o'n
byw efo hen wraig a 'dwi'n credu mai'i fam o ydi hi.'

'Be' 'di'i henw hi?'

''Dwi ddim yn ca'l enw, 'fedra' i ddim 'i gweld na'i chlywed hi'n
siarad ar y funud. Mae hi yn y cefndir, ond mi fedra' i 'i disgrifio
hi. Mae'i gwallt hi'n wyn.'

'Ble mae'i dad o?'

''Does dim tad, dim yn y tŷ. Mae o wedi marw. Mae gen i syniad fod gan 'i dad rywbeth i'w wneud efo'r fyddin, wedi bod yn y fyddin neu wedi dianc o'r cartre'. 'Dwi'n rhyw deimlo fod ganddo fo, Harold, frawd, un brawd ac mae ganddo fo un chwaer.'

'Be' oedd enw'r brawd?'

''Dwi ddim yn ca'l dim byd.'

'Harold, mi oeddet ti'n dwad yma i brynu gwartheg. Pwy oedd yn byw yma pan oeddet ti'n prynu gwartheg yma?'

Bu tawelwch am dipyn go lew cyn i Elwyn ateb.

''Dwi'n ca'l Richard Jones. 'Dwi'n ca'l darlun o'r dyn oedd yn byw yma, dyn mawr, mawr.'

'Be' oedd enw'i wraig o?'

'Elin, Elin. Roedd Harold yn cael croeso yma. Roeddan nhw'n ffrindia'.'

'Faint o wartheg oeddet ti'n 'u prynu ar y tro?'

'*Ugain,*' atebodd Harold.

'Faint oeddet ti'n 'i dalu yr un amdanyn nhw?'

Aeth peth amser heibio a daeth teimlad o gywilydd drwy'r 'stafell. Ni ddywedodd ddim wrthym, a chawn y teimlad nad oedd ganddo eisiau i ni wybod. Euthum ymlaen i'w holi, gan ddweud wrtho na fyddai yr un ohonom yn dweud dim wrth neb.

'*Tair a chweigian yr un,*' meddai ymhen ychydig.

Tair punt a phum deg ceiniog yn ein harian ni heddiw.

'Faint oeddet ti'n 'i ga'l amdanyn nhw wrth eu gwerthu?'

Roedd yn gyndyn iawn i ateb y cwestiwn hwn hefyd, a bu cryn swcro arno gan addo yn daer na ddywedem yr un gair wrth Richard Jones na neb arall. Yna, ymhen ychydig, â gwên fawr ar ei wyneb:

'*Rhyw wyth bunt neu naw.*'

'Argol fawr, mi oeddet ti'n g'neud arian yn 'doeddet?'

Yntau yn ateb gan ysgwyd ei ben mewn anghytundeb.

'*Mi oedd angen 'u bwydo nhw, a'u cerdded nhw a thalu am hyn.*'

''U cerdded nhw i ble?'

''*U cerdded nhw i Shrewsbury.*'

'Oeddet ti'n ffrindie efo Martha'r forwyn? 'Dwi'n ca'l rhyw deimlad fod ganddi dipyn o feddwl ohonat ti.'

Daeth gwên i'w wyneb ac ysgydwodd ei ben yn gytûn.

'*Oeddwn.*'

'Mi aeth Meri o'i cho' am dy fod ti'n ffrindie efo hi, yn 'do?'

Cytunodd eto drwy nodio'i ben. Cawn y teimlad ei fod wedi rhoi arian i Meri tuag at fagu Kate.

'Roist ti bres i Meri at fagu'r hogan fach?' Harold yn nodio'i ben. 'Faint o bres roist ti iddi?'

'*Hanner canpunt.*'

Roedd hyn yn swm sylweddol ym mhumdegau'r ganrif ddiwethaf.

'Chwara' teg iti am 'neud hyn. Mae hyn yn profi, felly, mai chdi ydi'i thad hi, yn 'tydi?'

'*I gau'i cheg hi, yntê.*'

'I gau'i cheg hi? Mi oedd hi'n hen geg oedd?'

Roedd ei wên lydan yn cytuno â mi.

'Be' oedd Martha yn 'i ddeud am hyn?'

Ysgydwodd ei ben o ochr i ochr.

'*Martha ddim yn siwr,*' meddai.

'Be' am Elin, oeddet ti'n ffrindie efo Elin?'

'*Ddim llawer.*'

'Pwy oedd yn dwad efo chdi i brynu'r gwartheg? Roedd 'na rai yn dwad efo chdi i'w cerdded nhw'n ôl, yn 'toedd?'

'*Gweision yntê.*'

'Be' oedd 'u henwe nhw?'

'Mae o'n rhoi ar ddeall i mi mai hogia' ifanc oeddan nhw. 'Dwi ddim yn gweld llunia' ohonyn nhw. Jac, ie Jac, a Wilf, Wilfred, Wilf maen nhw'n 'i alw fo,' atebodd Elwyn.

'Wilfred be'?'

''Dwi ddim yn cael enw arall. Mae yna un arall hefyd, mae yna dri o fechgyn ifanc, Rob neu Bob, neu rywbeth fel yna, a dweud y gwir maen nhw'n edrych yn debyg iawn i'w gilydd.'

'Rwan 'te, Harold, wyt ti'n ffrindie efo Rhodri bellach, wyt ti?'

Petrusodd ychydig cyn ateb, ac awyrgylch ysgafn a geid yno bellach.

'*Ydw.*'

'Pam wyt ti'n methu croesi i'r ochor draw? Pam wyt ti'n methu gadel y ddaear yma?'

'*'Dwim isio, 'dwi ddim isio gadel.*'

'Felly 'dwyt ti ddim wedi gadel, yn naddo?'

'*Naddo.*'

'Be' sy'n dy rwystro di rhag g'neud hynny? Pam wyt ti'n methu gadel?'

'*Jyst 'mod i ddim isio, yntê.*'

'Mae gen ti isio aros yma ym Mryntiron, oes?'

'*Oes.*'

Ar hyn ymunodd Aelwyn Roberts yn y drafodaeth.

'Harold, Harold, offeiriad ydw i, ac nid yma mae dy le di. Mae dy deulu di a phawb sydd yn perthyn iti ar yr ochor draw, ac mae yna Dduw sy'n maddau ar yr ochor draw. Beth bynnag ydi'n trosedda' ni, unwaith rydan ni'n croesi, mae Duw cariad yno i'n derbyn ni, ac yn fan'no rwyt ti'n perthyn, i fan'no rwyt ti i fod i fynd. 'Elli di weld y goleuni? Oes 'na olau o flaen dy lygaid di?'

'*'Dwi'n teimlo'n euog. Fydd Meri yno?*' atebodd.

'Bydd, mae Meri yno yn dy ddisgwyl di, ond beth pe bydden ni'n gofyn i Meri a Kate ddwad yma rwan i dy 'nôl di,' gofynnais innau.

Ar hynny teimlwn yr iasau yn gryf ar waelod y cefn. Yna, yn sefyll o'n blaenau ac wrth ochr Harold, roedd Meri a Kate, a'r darlun olaf a gafwyd ohonyn nhw oedd gweld y tri yn cydgerdded, Harold yn cydio yn llaw Meri a'i law arall ar ben Kate.

Buom yn cyfathrebu â Meri Griffiths a Harold Yates ar dair noswaith wahanol cyn y cafwyd y darlun yn gyflawn. Gwyddom bellach beth a boenai'r ddau ohonyn nhw, yn enwedig Harold, gan mai fo oedd yn achosi'r trafferthion mwyaf yn y tŷ. Roedd yn ysbryd hynod o gas, ac nid yn unig hynny; roedd yn hynod o beryglus hefyd.

Yr hyn a ddaeth i'r amlwg wrth drafod Harold yw mai ysbryd na allai adael y ddaear ydoedd. Roedd o wedi marw ond ni chredai hyn. Aeth i'r bedd â phoen ar ei feddwl ac roedd ei natur yr un fath yn union ag yr oedd pan oedd o'n fyw.

Ni wyddom i sicrwydd a ydyw wedi gadael y lle yn gyfan gwbwl ai peidio, ond mae un peth yn sicr: mae o'n llawer iawn hapusach bellach, ac mae'r ystafell y preswyliai ynddi wedi cynhesu. Nid yw'r ias fileinig, oeraidd yn bod yno mwyach, ond cawn weld.

10.

Amryw Ysbrydion

Yn yr ystafell lle cafwyd Rhisiart Wynne, Gwilym Mersia, Meri Griffiths ac eraill, dechreuodd rhyw gleciadau bychain ddigwydd yn un o'r corneli, rhyw dair clec ar y tro fel arfer, fel petai rhywun yn clecian ei fys a'i fawd yn ysgafn. Bu hyn yn digwydd am rai misoedd, a daeth yn amlwg i'r teulu fod rhywun arall wedi dechrau ar ei gampau. Nid oedd yn amharu yn fawr arnyn nhw, ond rhaid oedd ceisio cael gwared â'r ysbryd, pwy bynnag ydoedd.

Aeth Elwyn i'r gornel lle digwyddai'r clecian gan wahodd pwy bynnag a oedd yno i ymddangos, ond roedd yn gyndyn iawn i ymrithio o'n blaenau. Gwyddwn ei fod wedi dod atom i'r ystafell gan fy mod yn ei deimlo'n gryf, ond nid oedd i'w weld, ac roedd awyrgylch o swildod mawr yn y lle. Roedd hwn yn ysbryd swil iawn ac yn amharod i ymddangos inni y tro cyntaf. Daliais ati i'w ddenu drwy ei wahodd atom, ac yn sydyn gwelwn ffurf annelwig yn sefyll wrth ochr Elwyn. Erbyn hyn roedd yr iasau wedi cryfhau yn arw.

Ffurf bachgen yn ei arddegau a welwn, yn gwisgo cap stabal a rhywbeth a edrychai yn debyg i gansen fain yn ei law.

'Be' 'di dy enw di?' gofynnais iddo.

'*Wil.*'

'Wil be'?'

'*Wil Hughes,*' atebodd mewn llais main, uchel, bron nad oedd yn sgrech. Roedd yn siarad gyda ni yn uniongyrchol yn ei lais ei hun.

'Faint ydi dy oed di?'

Aeth peth amser heibio cyn iddo ateb.

'*Pymtheg.*'

'Ymhle'r wyt ti'n byw?'

Bu saib arall cyn cael ateb.

'*Yn Llanuwchllyn.*'

'Ai chdi sy'n g'neud y sŵn bychan 'na yn y gornel?' Dim ateb.

'Os mai chdi sy'n g'neud y clecian, g'na hynny rwan, er mwyn i ni gael dy glywed di.'

Ni chafwyd ymateb o gwbwl ganddo. Roedd yn sefyll yno yn edrych arnom gyda'i ffurf yn gliriach o lawer erbyn hyn, ond bachgen swil iawn ydoedd. Daliais i'w swcro i wneud y sŵn clecian er mwyn profi i ni mai fo oedd yn gyfrifol amdano. Wedi tipyn o bwyso arno daeth un glec fechan o gyfeiriad y man lle safai.

'Ddaru ni glywed honne rwan, ond mae gynnon ni isio tair clec i brofi mai chdi sy'n g'neud hyn.'

Yna, ymhen tipyn, a ninnau'n dawel fel llygod, daeth dwy glec ysgafn yn syth ar ôl ei gilydd. Pwysais arno i wneud hyn dair gwaith ar ôl ei gilydd, fel yr arferai ei wneud cyn i ni fynd yno.

Wedi i beth amser fynd heibio a phawb ohonom yn ddistaw, cafwyd tair clec ysgafn iawn ganddo, a gwyddwn bellach ei fod wedi bwrw ei swildod yn o lew.

'Be' 'di enw dy gartre' di yn Llanuwchllyn?'

'*Tŷ Gwyn,*' atebodd.

'Pa flwyddyn ddaru chdi farw?'

'*1826.*'

Cawn y teimlad ei fod wedi marw o'r darfodedigaeth.

'Mi wyt ti wedi marw o'r diciâu, yn 'do?'

'*Do.*'

Ar hyn gwelwn lun merch yn fy meddwl, merch a oedd tua'r un oed ag o ond ychydig yn hŷn, a gwyddwn yn iawn mai ei chwaer oedd hon.

'Mae dy chwaer wedi marw o'r un clefyd, yn 'do?'

'*Do.*'

'Be' 'di'i henw hi?'

'*Elizabeth.*'

'Faint oedd 'i hoed hi'n marw?'

'*Un ar bymtheg oed.*'

'Be' 'di enw dy dad a dy fam?'

'*William a Catrin.*'

Gwelais fod ganddo frodyr a chwiorydd.

'Be' 'di enwe dy frodyr a dy chwiorydd?'

'*Margied, Idris, William, Elizabeth a Huw.*'

Ceisiais gael rhagor o wybodaeth ganddo, ond roedd yn pellhau oddi wrthym, ac nid oedd diben inni ddal ati gydag o. Nid oedd ganddo ddim byd rhagor i'w ddweud a chiliodd o'r golwg.

Yr un noson ag y buom yn siarad â Wil, penderfynais y byddwn yn hoffi cael cyfarfod â'm hysbryd gwarcheidiol. Mae gan bob un ohonom ysbryd gwarcheidiol, rhywun sy'n edrych ar ein holau ac yn ein harwain yn y byd hwn, nes y daw'r amser inni groesi ato y tu hwnt i'r llen. Pan ddigwydd hynny, mae'n bosibl iawn mai aelod o'r teulu a fydd gyda ni, wedi dod i'n cyrchu ni, i'n harwain i'r byd nesaf.

Aeth Elwyn Roberts i gwsg ysgafn.

'Os ydi ysbryd gwarcheidiol Elwyn yma efo ni heno,' meddai, ''nei di ddangos dy hun inni. Byddai Elwyn yn hoffi dy gyfarfod.'

Dechreuodd yr iasau gerdded fy nghefn, ac ymddangosodd dyn mawr a thrwm ar Elwyn, gŵr tua saith deg oed ag aeliau llygaid trwchus, a'i wallt a chroen ei wyneb yn dywyll.

'Be' 'di dy enw di?' gofynnais iddo, ond nid atebodd y cwestiwn.

'Ymhle'r wyt ti'n byw?' ond ni chafwyd ymateb ganddo.

'Ym mha flwyddyn fuost ti farw?'

'1720,' atebodd Elwyn.

Gofynnais ragor o gwestiynau iddo, ond ni ddywedai ddim, dim ond syllu arnaf drwy'r adeg.

Sylweddolais nad oedd yn deall y Gymraeg. Trois i'r Saesneg, gan ei holi ymhellach, ond yr un oedd ei ymateb. Nid oedd yn deall yr iaith honno chwaith.

''Dwi ddim yn meddwl 'i fod o'n deall,' meddai Elwyn.

Ar hyn meddyliais mai Sbaeneg oedd ei iaith efallai, ac meddwn wrtho: 'Apollonia'. Cynhyrfodd drwyddo wrth glywed yr enw hwn. Daeth newid i'w wyneb, a gwyddwn bellach fod yr enw yn golygu rhywbeth iddo, ond nid oeddwn i na neb arall o'r cwmni yn gallu cyfathrebu ag o.

'*Cambrensis*,' meddai mewn llais isel.

Dyna'r enw Lladin am Gymru. Wedyn llefarodd y geiriau '*Meltis*' ac '*Academia*'. Nid oedd gennyf syniad beth oedd ystyr y gair *Meltis*. Rydw i'n ei osod yma yn union fel y llefarwyd o gan fy ysbryd gwarcheidiol, ond ni fedrwn i siarad ag o, a 'doedd dim diben imi ddal ati; ond o leiaf mi gefais y fraint o gyfarfod ag o. Os oes cysylltiad teuluol rhyngom o gwbwl, mae'n bosibl mai hyn ydyw: oddeutu dau gan mlynedd yn ôl bu llongddrylliad ar arfordir Pen Llŷn, ac achubwyd merch o'r môr o'r enw Apollonia, ac mi ydw i yn hanu o'r ferch hon ar ochr fy mam, mae'n debyg.

Wrth chwilio am ystyr yr enw Apollonia cefais ar ddeall gan ŵr sydd yn hyddysg yn yr ieithoedd Groeg a Lladin mai enw Groegaidd yw Apollonia. Mae llawer o drefi o'r enw hwn yng Ngwlad Groeg, ac yn chwedloniaeth Gwlad Groeg yr enw ar Dduw'r haul a cherddoriaeth yw Apollo. Mae'r gair *Academia* hefyd yn tarddu o'r un iaith, a'r gair tebycaf i *Meltis* y cafwyd hyd iddo yw Melotis, sef enw ar dref yng ngogledd Gwlad Groeg.

Yn un o'r llofftydd yn y tŷ câi teulu Bryntirion y teimlad fod rhywbeth yn rhyfedd ynddi. Nid oedden nhw wedi gweld na chlywed dim, ond caent y teimlad fod rhywun yno. Roedd awyrgylch drom yn y llofft.

Aeth Elwyn a minnau i'r 'stafell hon. Nid oedd golau ynddi, ac euthum â lamp llaw â golau gwan arni gyda mi. Llofft fechan gul ydyw, ac mae'n llawn dodrefn. Yn syth ar ôl mynd i mewn drwy'r drws, cawn ymdeimlad o dristwch mawr yno, a gwyddwn yn iawn fod rhywun a oedd wedi cael profedigaeth ynddi.

Aeth Elwyn i gornel a rhoddais innau'r lamp ar y llawr wrth fy ochr fel y byddai hynny o olau a oedd ganddi yn wynebu heibio ochr Elwyn, ac er mwyn i mi gael fy nwylo'n rhydd i fedru cofnodi beth bynnag a ddôi. Eisteddwn yn ei wynebu, tua dwy droedfedd o bellter oddi wrtho. Gan fod y llofft mor gul, roedd o â'i gefn ar y wal ac roeddwn innau â'm cefn ar y wal ar yr ochr arall. Ar ôl ysbaid o fyfyrio, teimlwn bresenoldeb.

'Mae 'na rywun yma,' meddwn.

'Oes,' atebodd Elwyn.

Gwelwn ffurf dyn yn datblygu'n araf arno, ac ymhen tua hanner munud daeth yn berffaith glir. Gŵr gweddol ifanc oedd yno, gyda golwg brudd ofnadwy arno, a llethid yr ystafell gan dristwch.

'Ym mha flwyddyn yden ni?'

Ymhen tipyn atebodd.

'*1920.*'

'Be' 'di dy enw di?'

'*Morys Jones,*' ar ôl saib arall.

'Ymhle'r wyt ti'n byw?'

'*Yr Wyddgrug.*'

'Faint ydi dy oed di?'

'*Tri deg chwech.*'

'Wyt ti'n briod? Be' 'di enw dy wraig di?'

Ni chefais ateb yn syth, ac roedd dagrau yn llifo i lawr ei ruddiau.

'Dwed wrtha' i, be' 'di enw dy wraig di?'

Ymhen ychydig atebodd.

'*Lilian.*'

'Be' 'di'i hoed hi?'

'*Pedwar deg dau.*'

'Mi ydw i'n gweld ceffyla' ymhob man. Mae o'n g'neud rhyw-beth efo ceffyla',' meddai Elwyn.

'Oes gen ti blant?'

'*Mae yna un mab.*'

'Be' 'di'i enw fo?'

'*Harri.*'

'Be' 'di'i oed o?'

'*Chwech oed.*'

'Mi ydw i'n gweld ceffyl du yn codi ar ei draed ôl,' meddai Elwyn.

Ar hyn deallais mai stalwyn du ydoedd, a'i fod wedi lladd y gŵr hwn drwy ei daro yn ei ben â'i droed flaen, ac aeth y tristwch yn drymach fyth drwy'r 'stafell.

'Mi oedd o'n beth ofnadwy i ddigwydd i ti, yn 'doedd? Y stalwyn yma yn dy ladd di?' Cyn hyn edrychai Morys Jones yn syth arnaf, ond bellach roedd ei ben wedi disgyn, a'i ên yn pwyso ar ei frest. Ni ddywedodd ddim

'Ym mha flwyddyn gest ti dy ladd?' gofynnais iddo eto.

'1920 neu 1921,' atebodd Elwyn.

'Ymhle gest ti dy ladd?' ond ni chafwyd ateb ganddo.

'Ym mha ardal gest ti dy ladd?' gofynnais eto.

'*Yn yr ardal yma, yn ardal Penllyn,*' atebodd.

Ni chafwyd rhagor o wybodaeth ganddo. Nid oedd am ddweud dim arall wrthyf, ac roedd yn pellhau oddi wrthym, felly 'doedd dim dewis gennym ond rhoi'r gorau iddo.

Gan ei bod yn bosibl fod teulu i'r ysbryd hwn yn y byd yma o hyd, ni roddais yr enwau cywir iddo ef na'i wraig na'i fab, na chwaith yr enw cywir ar y lle yr oedd yn byw.

11.

Elin Wynne

Mae Gwilym Mersia wedi ymddangos saith o weithiau inni hyd yma, a chaf yr argraff ei fod wrth ei fodd yn ein cwmni, fel yr ydym ninnau gydag o. Pan mae'r teulu yn ein galw'n ôl i'r tŷ, ar ôl i ryw gyffro newydd ddigwydd yn eu cartref, mae'r hen Gwilym yn ei gyflwyno ei hun yn gyntaf inni yn aml, neu fe ddaw i'r golwg wedi inni orffen â rhywun arall, ac felly y bu ar un o'r nosweithiau eraill y buom ym Mryntirion.

Noson aeafol o wynt a glaw ydoedd, a'r gwynt yn ubain yn uchel yn y coed sydd yng nghefn y tŷ, a'r canghennau yn cael eu fflangellu yn erbyn ei gilydd yn ddidrugaredd ganddo. Aethom i'r ystafell fyw yn gyntaf, fel yr arferem ei wneud. Ni wyddem pwy a groesai atom, ond po fwyaf y meddyliwn am Gwilym Mersia, roedd y teimlad y byddai Llywelyn y Llyw Olaf yn ymddangos yn cryfhau ynof hefyd, a dywedais hyn sawl gwaith wrth y cwmni.

Os oedd yn aeafol y tu allan, gwresog iawn oedd y croeso ar aelwyd Bryntirion, gyda thân glo cartrefol yn cynhesu'r 'stafell fyw. Aethai'r plant i'w gwlâu ers tua awr cyn i Elwyn a minnau gyrraedd yno. Ar ôl sgwrs a phaned penderfynwyd ymlacio a sgwrsio'n rhydd ymysg ein gilydd i weld pwy a ddôi atom.

Daeth yr arwyddion cychwynnol fod rhywun yn croesi atom, a chawn yr ymdeimlad fy mod wedi cyfarfod â'r ysbryd hwn o'r blaen. Roeddwn yn dechrau mynd yn anniddig gan y tybiwn, yn ôl y teimlad a gawn, mai'r hen Risiart Wynne oedd ar fin ymddangos, a 'doedd gen i ddim awydd o fath yn y byd i drafod rhagor ag o eto. Fel arfer nid oedd yn fodlon dweud fawr o ddim wrthym. Disgwyliwn ei weld â'i wallt gwyn, llaes yn disgyn dros ei ysgwyddau ac yntau yn edrych yn brudd arnom, ac yn gwrthod ateb fy nghwestiynau. Fodd bynnag, nid Rhisiart Wynne a safai yno ond gwraig. Safai wrth ochr Elwyn. Nid oeddwn wedi ei gweld hi o'r blaen. Roedd mewn tipyn o oedran, ac edrychai yn brudd iawn arnom. Ni fedrwn ddeall beth oedd yn digwydd am ychydig oherwydd yr un teimladau a gawn â phan ddaeth Rhisiart Wynne atom ddwy waith o'r blaen, ond gwraig mewn oed a safai o'n blaenau yn awr. Gwisgai het ar ei phen ac roedd ganddi gôt dywyll, hir amdani.

'Be' 'di dy enw di?' gofynnais, ond ni ddywedodd ddim.

'Pa flwyddyn ydi hi?'

'*1856.*'

'Mae'r ddynes yma yn sefyll wrth y tŷ a'i chefn yn ymyl rhyw wal gerrig,' meddai Elwyn. 'Mae'n gwisgo het ac mae ganddi gôt debyg i facintosh dywyll amdani.'

'Be' 'di dy enw di?' gofynnais drachefn.

'*Elin,*' atebodd.

'Mae'r flwyddyn 1823 yn bwysig iddi,' meddai Elwyn.

Ar hynny deallais fod cysylltiad yn rhywle â Rhisiart Wynne, oherwydd dywedodd ef wrthym y tro cyntaf i ni gyfarfod ag o ei fod wedi colli ei blant i gyd, chwech ohonyn nhw. Cawsom enwau pedwar ganddo, ac un ohonyn nhw oedd Rhys.

Wrth chwilio amdano yn Archifdy Meirionnydd yn Nolgellau, deuthum ar draws gŵr o'r enw Richard Wynne a oedd yn byw mewn lle o'r enw Ty'n y Waun yng Nghwm Main, ger Maerdy, Corwen. Roedd yn aelod yng nghapel yr Annibynwyr yn Rhyd-ywernen, Cefnddwysarn, nid nepell o'r lle yr arferai Ty'n y Waun fod, ond murddun sydd yno heddiw. Dywed y cofnodion i Rees, mab Richard ac Ann Wynne, Ty'n y Waun, gael ei eni yn Ionawr 1823, ac iddo gael ei fedyddio y mis canlynol.

Wrth ddarganfod hyn tybiwn fy mod wedi dod o hyd i'r person yr oeddwn yn chwilio amdano, ond roedd un anghysondeb, sef mai Ann oedd enw gwraig y Rhisiart Wynne hwn yn ôl y cofnodion, ond Elin oedd enw ei wraig, meddai'r ysbryd. Mae rhywbeth yn dweud wrthyf mai'r un yw'r ddwy wraig o bosibl, ond, hyd yma, ni allaf brofi hynny. Ar ôl 1823 nid oes sôn o gwbwl am y teulu hwn yn y cofnodion ym Meirionnydd, a chaf y teimlad eu bod wedi symud i ardal Llanelidan ger Rhuthun i fyw.

Daeth rhagor o wybodaeth i'r golwg wrth holi'r ysbryd a oedd o'n blaenau yn awr.

'Ymhle gest ti dy eni?'

'Rydw i'n cael yr enw Muriau Llwydion, ac mae Elin yn iau o lawer na'i gŵr,' meddai Elwyn.

Yn y cofnodion ceir fferm o'r enw Mur Llwyd yn ardal Trawsfynydd, a bod merch o'r enw Elin wedi bod yn byw yno. Dywedodd Rhisiart Wynne wrthym y noson gyntaf i ni gyfarfod ag o mai o ardal Trawsfynydd neu Borthmadog yr hanai ei wraig, a'i bod yn rhyw ugain mlynedd yn iau nag o.

'Aethoch chi fel teulu i fyw i ardal Llanelidan ger Rhuthun?' gofynnais iddi.

'Mae hi'n cynhyrfu rwan. Mae hi'n deud fod ganddi fab o'r enw Arthur,' meddai Elwyn.

'Faint ydi'i oed o?'

'Pump neu chwech fel 'dwi'n 'i weld o rwan.'

Er gofyn llawer o gwestiynau eraill iddi, nid oedd am fy ateb. Roedd ei hagwedd yn debyg iawn i agwedd Rhisiart Wynne, ei gŵr. Distaw a thrist ydoedd, a theimlwn innau na chawn ragor o wybodaeth ganddi. Fe'i teimlwn yn pellhau, ac yn raddol ciliodd o'r golwg.

Gwn trwy brofiad bellach mai cyndyn i sgwrsio y tro cyntaf yw'r rhan fwyaf o'r ysbrydion y cwrddaf â nhw, ond pan ddônt atom ddwy neu dair gwaith, yna maen nhw fel pe baen nhw yn cynefino â ni a ninnau â hwythau, ac maen nhw felly'n fwy parod i drafod gyda ni ac i ddweud eu cŵyn.

Cawsom seibiant byr cyn ailafael ynddi. Buom yn sôn am Elin Wynne ymysg ein gilydd am oddeutu deng munud, ac yn sydyn dechreuodd yr iasau gerdded fy nghorff eto.

'Mae 'na rywun yma,' meddwn.

'Oes,' cadarnhaodd Elwyn.

Roeddwn yn hen gyfarwydd â'r ysbryd a safai o'n blaenau yn awr, ac nid oedd angen imi ofyn beth oedd ei enw. Safai Gwilym Mersia wrth ochr Elwyn gan wenu arnom.

Paratoais gwestiynau cyn mynd i'r tŷ y noson honno, rhag ofn y byddai'n ymddangos.

'Pwy 'di Duw?'

'*Does yna yr un Duw,*' atebodd.

'Be', ni fu yr un bod ar y ddaear yma o'r enw Duw?'

'*Naddo.*'

'Be' 'di'r Duwdod ynte'?'

'*Y meddwl mawr.*'

'Be' 'di ystyr 'y meddwl mawr'?'

Siaradai yn rhwydd iawn, ac meddai:

'*Pan mae rhywun yn myfyrio'n ddwfn ac yn agor ei feddwl, ac yn mynd i ddyfnder meddyliol, dyna yw'r Duwdod, ac mae'r llinach ysbrydol yn bwysig. Mae yna le i grefft, mae celfyddyd yn iawn, ond mae'n rhaid agor y meddwl. Mae cymdogaeth ysbrydol yn bwysig i ddeall amcan bywyd yn gyffredinol, ac rydym i gydieuo â meddyliau eraill i gael dealltwriaeth iawn o fywyd. Mae'r hedyn ysbrydol ym mhawb ohonom ac mae'n bwysig cysylltu â phobl o feddyliau eraill, a bod pawb i gyd yn glwm i'w gilydd. Byd y meddwl yw'r byd ysbrydol a'r meddwl ydyw Duw.*'

Roedd clywed hyn ganddo yn gryn dipyn o agoriad llygad imi.

'Be' wyt ti'n 'i feddwl wrth 'y llinach ysbrydol'?'

'*Pan mae nifer o bobl yn hel at ei gilydd i addoli neu i fyfyrio mewn dyfnder, dyna yw'r llinach ysbrydol.*'

Mae digonedd o sôn ers blynyddoedd lawer am fywyd ar blanedau eraill, a phobl yn dweud eu bod wedi gweld llongau gofod yn gwibio uwchben mewn gwahanol rannau o'r byd. Ceir straeon rhyfedd iawn ar y pwnc o sawl gwlad, a'r gred yw fod yna lawer o lywodraethau yn gwybod yn iawn am fodolaeth y rhain ac yn cadw'n ddistaw yn eu cylch, rhag creu ofn ar bobl; ond ni ŵyr neb yn iawn a ydyn nhw yn bod ai peidio.

'Oes 'na fydoedd eraill heblaw am y ddaear?'

'*Oes, llawer iawn ohonynt.*'

'Enwa un imi.'

'*Tarsws.*'

'Pa iaith maen nhw'n 'i siarad yno?'

'*Eu hiaith eu hunain.*'

'Oes 'na fydoedd lle mae 'na fwy nag un iaith yn cael 'i siarad arnyn nhw?'

'*Oes, ddigonedd.*'

'Mae 'na wahanol genhedloedd yn byw efo'i gilydd ar rai o'r bydoedd eraill, felly?'

'*Oes, ac mae ganddynt eu heuliau eu hunain hefyd.*'

'Yden nhw yn gallu dwad yma i'r ddaear?'

'*Ydynt, maen nhw'n dod i'r ddaear o hyd.*'

'Fedrwn ni fynd i un o'u bydoedd nhw?'

'*Na fedrwch.*'

'Pam?'

'*Maen nhw'n rhy bell.*'

'Fedri di fynd yno?'

'*Medraf yn hawdd.*'

'Faint mae'n 'i gymryd i ti fynd yno?'

'*Chwinciad eiliad.*'

Ar hyn fe drodd i areithio yn Saesneg, ond ni fedrwn ei ganlyn i ysgrifennu'r hyn a ddywedai. Aeth i sôn am '*The divine mind, mental nourishment, we are all of the divine mind,*' ac yn y blaen.

'Pwy oedd y Crist?'

Cynhyrfodd yn arw pan ofynnais hyn iddo.

'*Rhoddwyd Crist ar y ddaear er mwyn rhoi trefn.*'

Roedd wrth ei fodd yn siarad amdano, ond ar ôl trafod ychydig ar Grist, newidiais y cywair a mynd i'w holi am bethau eraill.

'*'Tydi o ddim yn fodlon. Mae ganddo fo isio mynd yn ôl i drafod Crist,*' meddai Elwyn ymhen ychydig.

Soniais am Fair, mam Crist, a chafwyd ateb diddorol ganddo i'r cwestiwn nesaf.

'Pwy oedd tad Crist?'

'*Malcws.*'

Euthum ar drywydd arall, ond cawn fy nhynnu'n ôl ganddo i drafod Crist o hyd. Roedd ganddo feddwl mawr iawn ohono.

'Enwa un sydd wedi croesi atat ti yn ystod y flwyddyn yma?'

Atebodd yn syth.

'*William Jones, Llanrhystud.*'

'Pa bryd y croesodd o atat ti?'

'*Chwefror 28.*'

Ni roddais yr enwau cywir yma, rhag ofn bod teulu i'r gŵr y cafwyd ei enw ganddo ar dir y byw.

'Wyt ti wedi dwad yn ôl i'r ddaear fel person arall?'

'*Do.*'

'Be' oedd dy enw di?'

Dim ond un enw a gafwyd.

'*John.*'

'Pa flwyddyn oedd hi?'

'*1724.*'

Rhoed y gorau i drafod rhagor ag o. Bûm wrthi am dros awr i gyd ac roedd yn amhosibl i mi ysgrifennu'r rhan fwyaf o'r hyn a ddywedodd wrthym, gan fod y geiriau yn llifo mor rhwydd ganddo.

Fel y ciliai Gwilym Mersia, gallwn deimlo presenoldeb arall, ond gwan iawn ydoedd. Rhoddodd fy nghalon dro gyda'r hyn a ddaeth wedyn gan Elwyn.

'Mi 'dwi'n gweld gŵr mewn diwyg haearn. Mae ganddo fo darian a phicell yn ei law, ac mae ganddo locsyn coch sydd yn dechrau britho a gwallt tonnog o'r un lliw. Mae'n ŵr llawen, mi 'dwi'n 'i weld o'n gwenu arnon ni, ac mae o'n gwisgo rhyw frethyn coch o dan y siwt.'

'Oes 'na enw'n dwad?'

''Tydi'r enw ddim yn glir iawn ond 'dwi'n meddwl mai Owain Glyndŵr ydi o.'

Yn anffodus ni chafwyd trafodaeth o gwbwl gyda'r milwr hwn. Nid oedd yn barod i sgwrsio gyda ni, a diflannodd yn sydyn.

12.

Ogam

Mae person arall sydd o'r un anian â mi yn byw heb fod ymhell. ac mae'n ddawnus dros ben yn y maes hwn.

Un noson canodd y ffôn ac roedd y person yma ar y pen arall yn dweud ei fod wedi cael neges o'r tu hwnt gan rywun a boenai am safle'r Eisteddfod Genedlaethol yn Y Bala.

'Mae'r gŵr yma yn sôn am ryw Ogam,' meddai, 'a 'does gen i ddim syniad be' mae'n 'i feddwl. Hefyd mi ydw i'n cael rhyw bethau ganddo nad oes syniad gen i be' maen nhw yn ei olygu, rhyw linellau ar draws ac ar i lawr, ac mae'r rhain yn golygu'r llythyren A neu O, ac yn y blaen. Mi ddo' i â'r cyfan iti yn y bore ar ôl imi gael yr holl wybodaeth ganddo. Wyt ti'n gw'bod unrhyw beth am yr Ogam yma?'

Nid oeddwn yn gyfarwydd â'r gair hwn ond gwyddwn nad enw Cymraeg ydoedd. Tybiwn mai enw Celtaidd ydoedd a dywedais mai gair o'r iaith Wyddeleg neu'r Aeleg ydoedd o bosibl.

'Be' ydi Peithyn?' gofynnodd. ''Dwi'n cael y gair Peithyn, ac mae o'n dweud fod yna fardd o Gymru sydd wedi bod yn twyllo.'

Gofynnais pa bryd oedd hyn, ac atebodd fod y dyn hwn yn dweud mai tua dau gan mlynedd yn ôl y bu hynny. Gwyddwn ar unwaith mai am Iolo Morganwg y soniai, ond nid oeddwn yn gyfarwydd â'r gair Peithyn, ac addewais ymchwilio i'r mater.

Yn y gyfrol *Iolo Manuscripts* a olygwyd gan Isaac Foulkes, ailargraffiad 1888, ceir pennod ar y Beithynen, sef ffrâm wedi ei gwneud o bren i ddal prennau â geiriau wedi'u naddu arnyn nhw.

Ymhen tipyn daeth yn ôl ar y ffôn.

'Mae'r dyn yma efo fi rwan,' meddai, 'ac mae o'n deud y drefn am dy fod yn llosgi dy farddoniaeth. Wyt ti'n g'neud hynny?'

Atebais innau drwy ddweud nad oeddwn yn llosgi cerddi y tybiwn fod unrhyw werth iddyn nhw, dim ond y rhai nad oedd unrhyw ddiben i mi eu cadw.

'Mae o'n deud na ddylet ti losgi dim. Mae o isio iti gadw pob peth. Mae o hefyd yn casáu'r Rhufeiniaid, medde fo.'

'Mae'n rhaid, felly, fod hwn oddeutu dwy fil o flynyddoedd oed,' meddwn innau.

'Ydi,' atebodd, 'ac mae o wedi cael ei glwyfo mewn brwydr yn eu herbyn nhw. Mae fy ysgwydd yn boenus ac mae 'na ddafnau o waed rhwng fy mysedd ar fy llaw chwith. Mae'r enw Ogam yma yn gryf o hyd.'

Gofynnais am ddisgrifiad ohono.

'Mae o'n flêr ofnadwy ac mae golwg arw arno fo. Mae o'n fudr ac yn gwisgo crwyn anifeiliaid ac mae'i wallt o'n hir dros ei ysgwyddau ac yn gaglau i gyd.'

Y bore wedyn cefais hyd i'r llyfr *Ogham Monuments in Wales*. Ynddo eglurir mai gwyddor Geltaidd yw Ogam. Ceir meini yn y gwledydd Celtaidd a rhannau o Loegr gyda llythrennau o'r wyddor hon arnyn nhw, ac roedd y milwr hwn yn dweud fod rhai yn y ddaear ar faes yr Eisteddfod Genedlaethol yn Y Bala, a'i fod yn poeni yn eu cylch.

Dyma fel y cafodd y seicic hwn yr Ogam gan yr ysbryd.

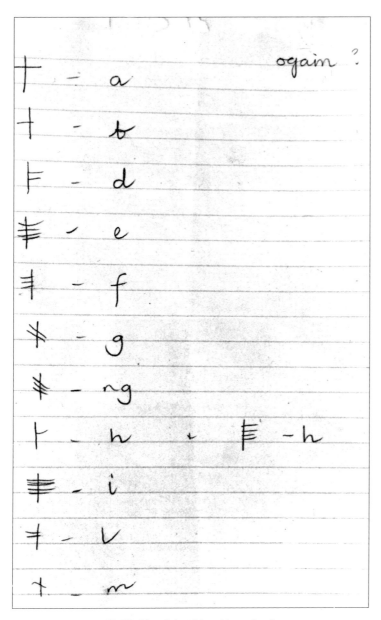

ogam ?

† - a

† - b

ᚃ - d

≢ - e

≢ - f

≠ - g

≠ - ng

⊦ - h   ᚋ - h

≢ - i

≠ - v

† - m

Yr Wyddor Geltaidd yn ôl yr ysbryd.

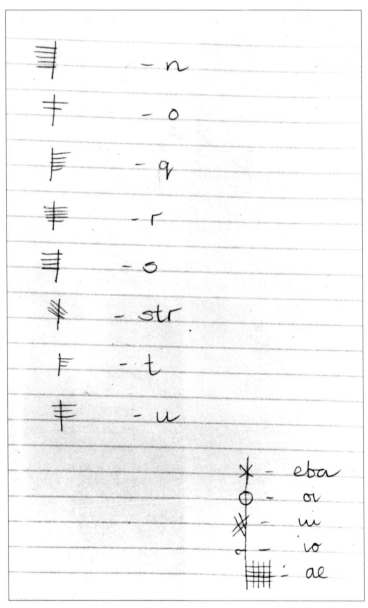

Yr Wyddor Geltaidd yn ôl yr ysbryd.

Gellir cymharu'r wybodaeth a gafodd â'r hyn sydd yn y llyfr *Ogham Monuments in Wales.*

The H 'aicme.'
  Strokes numbering from 1 to 5 drawn at right angles to the stem line above.

  | || ||| |||| |||||
  ————————————————————————
  H   D   T   C   Q

The M 'aicme.'
  Long strokes numbering from 1 to 5, cutting the stem line diagonally.

  -----/-----//-----///-----////-----/////-----
  M   G   Ng   St   R

The A 'aicme.'
  Short strokes numbering from 1 to 5, cutting the stem line at right angles.

  ----+----+|----+||----+|||----+||||-----
  A   O   U   E   I

  The names of the letters are taken from the trees as follows:-

⊢	B	Beith	Birch	⋠ M Muin	Vine
⊨	L	Luis	Quicken	⋢ G Gort	Ivy
⊨	F*	Fearn	Alder	⋤ Ng Ngedal	Reed
⊟	S	Suil	Sallow	⋣ St**Straif	Blackthorn
⊟	N	Nion	Ash	⋥ R Ruis	Elder

⊣	H	Huath	Hawthorn	✝ A Ailm	Fir
⊣	D	Duir	Oak	✠ O Orm	Furze
⊣	T	Tinne	Holly	⟊ U Ur	Heath
⊣	C	Coll	Hazle	⟊ E Eadhadh	Aspen
⊣	Q	Queirt	Apple	⟊ I Ihadh	Yew

*Note the primitive Irish form had a value /w/ equal to v, used on inscriptions prior to developed /F/ in manuscript of the old Irish period.
(see Llanwinio inscription).
**Note in manuscript St was transcribed as Z.

Yr Wyddor Ogam yn ôl y llyfr 'Ogham Monuments in Wales'.

There are in addition five other letters called 'forfeada' or 'overtrees,' only the first and second of which appear on lapidary inscriptions - Ea at Crickhowell in Brecknockshire and several places in Ireland; Oi at Bressay in Scotland.

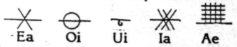

Most of the Ogham inscriptions read from left to right when the stem line is placed horizontally, or from the bottom upwards when it is vertical. Some of the greatest drawbacks to the study of Ogham inscriptions is the uncertainty of the readings arising from the following causes:- [1] Doubt as to whether the whole should be read backwards or forwards, i.e., from left to right or from right to left. [2] Doubt as to whether the inscription is placed in the proper position to be read, i.e., with a particular set of strokes representing a letter on the upper or the under side of the line. [3] Inexact spacing of the strokes forming the letters or of the words. [4] Weathering of the strokes at the end or the beginning of a letter or on one side of the stem line. [5] Irregularity in the stem line itself. In most of the Ogham lapidary inscriptions found in Ireland and Wales the angle of the stone is made to serve as a stem line; but on some of the Scottish examples there is a regular stem line in the middle of one face, and the words are separated by double dots.

Yr Wyddor Ogam yn ôl y llyfr 'Ogham Monuments in Wales'.

13.

Llywelyn ap Gruffudd

Roedd cwmni teledu yn awyddus i wneud rhaglen ar yr hyn a ddigwyddai ym Mryntiron, a threfnwyd i fynd yno, ond pan ddaeth y diwrnod ni fedrwn fod gyda nhw.

Ymhen dau ddiwrnod ar ôl iddyn nhw fod yno gydag Elwyn ac Aelwyn, gwelais Rhodri yn Y Bala.

'Ble'r oeddet ti ddoe? Mae pobol y teledu wedi bod acw yn gweld y lle, ac mae 'na filwr wedi ymddangos yn y 'stafell lle bydd yr hen Gwilym yn dwad i'r golwg. Mae o mewn gwisg milwr ac mae o'n cario tarian a phicell. 'Dwi'n siwr mai Llywelyn ydi o, ond 'doedd neb yn siwr be' i'w 'neud efo fo.'

'Na,' meddwn wrtho, 'nid Llywelyn oedd o.' Gwyddwn yn iawn nad Llywelyn oedd hwn, ond ni fedrwn ddweud pwy oedd o chwaith.

'Ac mae 'na rywun arall wedi dwad aton ni hefyd,' aeth ymlaen. 'Roedd o'n 'iste' ar y gadair ar Elwyn, ac mi gododd ei law dde i fyny, a 'tyden ni ddim yn gw'bod pwy 'di hwn chwaith.'

Cynhyrfais drwof pan glywais hyn. Roeddwn yn bendant mai Llywelyn ein Llyw Olaf oedd y gŵr hwn. Gwyddwn yn iawn mai ei ysbryd o ydoedd. Roeddwn wedi dweud wrth y lleill sawl gwaith ei fod ar ei ffordd, ac o'r diwedd roedd wedi ymddangos.

Trefnais gyda Rhodri i fynd yno y noswaith ganlynol, a ffoniais Elwyn ac Aelwyn, ond ni fedrai Aelwyn ddod gyda ni ar y noson. Aethom yno tua hanner awr wedi saith y nos, ac aethom i'r 'stafell lle'r oedd y milwr a'r gŵr a godai ei fraich dde wedi ymddangos iddyn nhw. Ar ôl dilyn y drefn arferol, teimlwn bresenoldeb rhywun, ac yna gwelwn ffurf dyn yn dod i'r golwg ar Elwyn. Roeddwn yn ei adnabod yn iawn ac wedi ei weld sawl gwaith o'r blaen. Gwilym Mersia a safai yno yn gwenu arnom. Nid arhosodd ond am ychydig o eiliadau, a diflannodd. Wedyn gallwn synhwyro presenoldeb arall, presenoldeb cryf, a hwnnw'n cryfhau fwyfwy o hyd. Ymhen ychydig gwelwn ŵr ar Elwyn, gŵr cadarn iawn yr olwg, â'i wallt yn hir hyd at ei ysgwyddau a thalcen llydan ganddo. Roedd ei wyneb yn hir ac yn sgwâr, roedd yn ŵr cyhyrog dros ben ac yn llydan iawn, yn gryf iawn yn gorfforol, ac roedd ei gorff fel baril. Nid oedd yn dal, rhyw bum troedfedd a naw neu ddeng modfedd, a'i oedran yn ôl ei olwg tua hanner cant, neu ychydig yn hŷn, efallai.

Roedd awyrgylch ffyrnig a milain yn y 'stafell erbyn hyn. Roeddwn mor sicr o bwy ydoedd fel na ofynnais am ei enw hyd yn oed. Y cyfan a ofynnais iddo oedd 'Ymhle gest ti dy gladdu?'

'*Cwm Hir*,' atebodd ymhen ychydig.

Cadarnhaodd ei ateb yr hyn yr oeddwn yn ei deimlo eisoes. Cyferchais yr ysbryd.

'Henffych Dywysog Aberffraw ac Arglwydd Eryri.'

Ar hyn cododd ei fraich dde i fyny yn syth. Roedd y llaw yn agored a'r bawd wedi ei blygu ar ei thraws. Cododd ei ben yn bwysig, ac roedd ymdeimlad o urddas a dylanwad i'w ganlyn, ond ni ddywedodd ddim.

Ni wyddwn am ychydig beth i'w ddweud na'i ofyn nesaf iddo, cymaint oedd y fraint o gyfarfod ag o, nes fy mod bron yn ddieiriau, ac roedd y tawelwch yn llethol drwy'r 'stafell. Soniais am yr iaith ac am Gymru yn gyffredinol. Edrychai yn syth arnaf, ond ni chafwyd ymateb, ac unochrog oedd y sgwrsio rhyngom. Ceisiais ddilyn trywydd arall

Gofynnais y cwestiwn nesaf yn fwriadol, er mwyn cael gweld beth fyddai ei ymateb. Gwyddwn beth oedd yr ateb, ond roeddwn am weld beth a ddigwyddai.

'Pwy oedd Gwenwynwyn o Bowys?'

Aeth yr awyrgylch yn drydanol drwy'r lle, a theimlwn ffyrnig-rwydd a chasineb dwfn yn treiddio drwof. Cynhyrfodd yntau drwyddo. Aeth ei drem yn wyllt a'i lygaid yn fawr gan fileindra, a bu'r digwyddiad dilynol yn rhywbeth nad ydw i wedi ei weld yn digwydd erioed o'r blaen wrth gyfathrebu ag ysbryd. Mewn amrantiad aethom yn ôl i ganol holl helynt a rhyfela ei gyfnod, pan oedd brawd yn ymladd â brawd, pan nad oedd bywyd yn golygu dim yn y frwydr o blaid annibyniaeth Cymru. Cododd o'r gadair yn wyllt, ond ni safodd ar ei draed yn llawn; rhyw hanner codi a wnaeth, gan ddisgyn yn ei ôl ar ei gefn, nes ei fod yn lledorwedd yn y gadair; ac fel yr oedd yn disgyn yn ei ôl llefarodd yn uchel ac yn ffyrnig, yn uniongyrchol yn ei lais ei hun, llais dwfn a ffyrnig iawn ac yn llawn mileindra.

'Gelyn.'

Ceisiais dawelu pethau. Gwyddwn, yn ôl yr hanes, ei fod wedi cael yr offeren olaf yn eglwys Llanynys a oedd heb fod ymhell o'r man lle y cafodd ei ladd y bore tyngedfennol hwnnw.

'Be' oedd enw'r offeiriad a roddodd yr offeren olaf iti yn eglwys Llanynys,' gofynnais iddo. ''Tyden ni ddim yn gw'bod ei enw. Wyt ti am ddeud wrthon ni?'

Ni ddaeth ateb ganddo. Edrychai arnaf a golwg drist, yn ogystal â ffyrnig, arno erbyn hyn, a threiddiai'r tristwch yn gymysg â'r ffyrnigrwydd drwy'r 'stafell bellach. Daliais i'w holi ynglŷn â hyn, ond nid oedd am fy ateb.

Ei unig blentyn oedd Gwenllian. Ar ôl marwolaeth ei thad, cipiwyd hi o'i chartref gan ddilynwyr ei brif elyn, Edward y Cyntaf, a mynd â hi i leiandy Sempringham yn swydd Lincoln yn Lloegr. Ac yno y bu hyd ei marwolaeth.

'Be' ddigwyddodd i Wenllian?' gofynnais. Newidiodd ei agwedd yn gyfan gwbwl; nid milwr ffyrnig na thywysog Cymru oedd o'n blaenau yn awr, ond tad na welodd ei blentyn yn tyfu yn y byd yma, a thad a wyddai nad oedd olyniaeth uniongyrchol i'w linach ar ôl ei chaethiwo hi.

Aeth i'w ddau ddwbwl gan ochneidio'n uchel, a'r dagrau yn llifo ar hyd ei ruddiau. Bu fel hyn am ryw bymtheng eiliad, gyda gwewyr mawr wedi ei gerfio ar ei wyneb. Ni fedrwn ddweud dim; ni wyddwn beth i'w ddweud na'i wneud. Ymhen ychydig tawelodd, ac aeth y 'stafell yn ddistaw fel y bedd. Er holi rhagor arno, daeth yn amlwg nad oedd yn dymuno trafod rhagor gyda ni ar y pryd, a gadawyd iddo fynd, ond gwyddwn yn iawn mai yn ei ôl y dôi, ac y caem ragor o wybodaeth ganddo yr adeg honno.

14.

Y *Plant Bach Annwyl*

Mae gan Rhodri a Meiriona bump o blant. Yr hynaf yw Delyth, ac mae hi'n ddeg oed; wedyn mae Anita yn naw, Lucia yn saith, Meirion yn bedair ac Anest yn flwydd a hanner.

Ers tua dwy flynedd mae'r rhai hynaf wedi bod yn gweld plant yn eu llofft, oddeutu ugain ohonyn nhw. 'Dydyn nhw ddim yn dod yno i gyd ar un tro; weithiau bydd tri neu bedwar yn dod i chwarae gyda nhw, a thro arall mae hyd at ddeg i ddwsin yn ymddangos. Ar y cychwyn roedden nhw yn cael braw wrth eu gweld, ond erbyn hyn maen nhw wedi hen gynefino â nhw, ac wedi ffurfio cyfeillgarwch gyda nhw i gyd. 'Dydi Delyth ac Anita ddim yn siwr o ble maen nhw'n dod, ac maen nhw'n ymddangos yn eu 'stafell wely yn aml, yn fechgyn ac yn ferched rhwng tua phump a deg oed. Maen nhw'n siarad â'r plant hyn, ond 'dydyn nhw ddim yn deall eu hiaith. Mae Anita yn dangos triciau ac yn dweud straeon, ac mae'r Plant Bach Annwyl yn clapio ac yn chwerthin bob tro, yna maen nhw'n gwisgo dillad y ddwy, ac mae pawb yn cael hwyl fawr. Dro arall maen nhw'n darllen llyfrau, ond llyfrau plaen ydyn nhw, heb ysgrifen, ac maen nhw'n creu eu straeon eu hunain. Mae un ohonyn nhw'n llefaru'r gair *Bonjolaba* o hyd, ond nid oes gan Anita na Delyth na'r un o'r lleill syniad beth yw ei ystyr. Wedyn maen nhw'n chwarae â theganau'r ddwy, ac mae Delyth yn dweud y drefn braidd, gan fod un ohonyn nhw wedi cuddio tegan iddi, ac ni fedr gael hyd iddo yn unman. Mae wedi diflannu'n llwyr. Weithiau, pan mae Anita yn mynd i'w gwely, mae rhai o'r plant yn dod i gysgu gyda hi, ac fel arfer yn nhraed y gwely, ar y gwrthbanau, y maen nhw'n gorwedd. Mae un ohonyn nhw yn gorrach bach, meddai hi, ac mae gan un wallt o liw oren, ac mae gan rai eraill wallt du. Merched ydi'r rhan fwyaf ohonyn nhw. Ambell waith maen nhw'n chwalu ei llyfrau a'i phapurau i bob man, ac mae Anita yn dweud y drefn wrthyn nhw. Wedyn maen nhw'n eu codi ac yn tacluso ar eu hôl. Un tro, pan oedd hi yn chwarae gyda nhw ac wedi mynd i ben ei desg, roedd rhai o'r Plant Bach Annwyl wedi dringo i ben y wardrob ac yn gorwedd ar ei thop; ond maen nhw'n ysgafn iawn, meddai hi. Mae hi wedi cario rhai ohonyn nhw, ac aeth Delyth i 'nôl clorian o'r 'stafell ymolchi, gan roi un arni i weld faint oedd ei bwysau. Aeth y bys at un owns. Roedd rhai eraill yn pwyso tair owns.

Yn y 'stafell lle mae Wil ac eraill wedi ymddangos mae tanc pysgod newydd. Prynwyd hwn i'r plant, gan roi pump o bysgod aur ynddo, un ar gyfer pob un. Ymhen ychydig wythnosau dechreuodd y rhai hynaf swnian fod gan Wil eisiau pysgodyn aur iddo'i hun, a 'doedd hi ddim yn deg arno fo i fod heb yr un.

Mae Wil yn chwarae gyda nhw yn y 'stafell hon, ac weithiau mae o'n gwneud tair clec fechan ar y tanc pysgod. Clywsant hyn gyntaf pan oedd rhywbeth wedi digwydd i'r trydan yn y tŷ, a'r 'stafell yn ddistaw, gan nad oedd y teledu'n gweithio. Fel arfer mae'r cleciadau bychain yn digwydd pan ddaw'r pysgodyn a brynwyd yn arbennig i Wil allan o'i guddfan yn y tanc. Rhyw dair wythnos wedi i'r pysgodyn newydd gyrraedd y dechreuodd hyn, ac mae pawb ohonyn nhw yn clywed Wil yn mynd trwy'i gampau.

Mae un o'r Plant Bach Annwyl yn galw Anita wrth ei henw o hyd, a gofynnodd hi a Delyth iddo a fyddai'n rhoi neges iddyn nhw ar bapur. Gadawyd tudalen lân o bapur ar y ddesg yn y llofft ac aethant o'r ystafell. Pan ddaethant yn eu holau roedd enwau'r ddwy wedi eu hysgrifennu arno, ac, yn ogystal, roedd yna bethau nad oedden nhw yn eu deall hefyd; ond, o dan rai o lythrennau'r wyddor ddieithr a ddefnyddir gan y plant, rhoddwyd llythrennau a berthyn i'r wyddor a ddefnyddiwn ni.

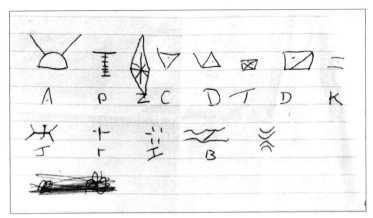

Yr Wyddor yn ôl y plant ym Mryntirion.

Yn ystafell wely Delyth ac Anita y mae'r Plant Bach Annwyl
fel arfer, a 'dydyn nhw ddim yn eu gweld yn unman arall yn y tŷ;
ond un waith daeth nifer ohonyn nhw i lawr y grisiau ar ôl y
ddwy, gan aros wrth y gwaelod am ychydig eiliadau. Roedd un yn
gobeithio mynd i'r gegin, ond dywedodd Delyth wrtho na châi
fynd yno, rhag ofn i'w mam a'i thad ei weld, ac aethant i gyd yn
ôl i'r llofft.

Wedi i ni fynd yno y noson honno roedd y plant yn dymuno
bod gyda ni yn trafod yr ysbrydion. Cytunwyd iddyn nhw fod
gyda ni i weld beth a ddigwyddai a phwy a ddôi atom. Roedd
Elwyn wedi clywed am y Plant Bach Annwyl gan Rhodri a
Meiriona.

'Be' 'tasan ni yn gofyn i'r plant ddwad aton ni yma rwan? 'Nawn
ni drio hyn i weld be' ddigwyddith,' meddai Elwyn.

Eisteddwn fel bod ochr wyneb Elwyn tuag ataf, ac eisteddai
Rhodri a Meiriona a'r plant yn un rhes yn ei wynebu. Ymhen tua
dau funud teimlwn bresenoldeb, ond gwan ydoedd ar y pryd ac ni
fedrwn weld neb o gwmpas Elwyn. Cryfhaodd y teimladau, ond
nid oedd dim i'w weld o gwbwl, er bod y presenoldeb yn cryfhau
o hyd. Canolbwyntiai pawb ohonom ar Elwyn, yna daliais ryw
symudiad â chornel fy llygad wrth ddrws y 'stafell a oedd tua thair

neu bedair troedfedd oddi wrthym. Roedd Elwyn â'i gefn at y drws, ac nid oedd modd iddo weld. Trois yn y gadair er mwyn cael gweld yn iawn, a gwelwn ffurf hen wraig yn glir, dynes fechan, eiddil yn gwisgo rhywbeth tywyll amdani. Nid oeddwn wedi ei gweld hi o'r blaen, a dywedais wrth y lleill ei bod yno. Gan fod pawb yn gwylio Elwyn ar y pryd, nid oedd neb wedi sylwi ei bod yno.

'Pwy ydi hon sy'n sefyll wrth y drws?' gofynnais. 'Mae 'na hen wraig yn sefyll yma.'

Edrychodd pawb ond Elwyn i gyfeiriad y drws.

'Nain ydi hi, mam dad, 'dwi'n 'i chofio hi'n iawn,' meddai Meiriona ar unwaith.

Safodd yr hen wraig yno am ychydig o eiliadau, ac yna diflannodd. Ei henw oedd Elizabeth Jane, ac roedd hi'n wyth deg chwech oed pan fu farw. Roedd yn byw yn Llundain ac arferai ddod i Fryntyrion tua thair neu bedair gwaith bob blwyddyn. Ar fur y 'stafell wrth y drws lle'r oedd yr hen wraig, mae llun o Anita yn hongian mewn ffrâm, ac ar yr ochr arall, ar yr un mur, mae llun o Lucia yn hongian, a rhwng y ddau mae dodrefnyn. Ni welais yr hyn a ddigwyddodd wedyn oherwydd roeddwn yn rhy agos atyn nhw, ond meddai Meiriona:

'Mae Nain wedi mynd i mewn i lun Anita. Mi ydw i'n gweld 'i hwyneb hi yn y llun. Mae hi wedi mynd i mewn i'r llun. Mae llun Anita yna ac mae Nain ynddo fo hefyd.'

Cadarnhaodd Rhodri a'r plant hynaf fod yr hyn a welai Meiriona yn berffaith wir. Roedden nhw i gyd yn ei gweld, ac yn sydyn daeth allan o'r llun gan sefyll o'i flaen, ac wedyn aeth i mewn iddo yn ôl.

'Mae un o'r plant bach annwyl i mewn yn llun Lucia,' meddai un o'r plant.

Troesom ein sylw at y llun hwnnw.

'Joshua ydi o,' meddai Lucia, ''dwi'n 'i 'nabod o. Mae o'n chwara' efo ni yn y llofft o hyd.'

'*Indian* ydi o,' meddai Meiriona. 'Mae ganddo fo wallt du bitsh, mae o'n mynd ac yn dwad yn y llun, yn union yr un fath â Nain yn y llun arall. Mae o'n dwad allan ac yn sefyll o dano fo ac yn mynd i mewn iddo fo yn 'i ôl.'

Fe welai Rhodri hyn yn digwydd hefyd, a disgrifiodd yr hyn a welai fel edrych ar lun tri dimensiwn.

'Be' mae o'n 'i 'neud rwan, Delyth?' gofynnais.

'Mae o'n sefyll yn y llun ac mae o'n plethu'i wallt ar un ochor. Mae'i wallt o'n hir, yn dwad i lawr at 'i ysgwydd o, ac mae o'n g'neud plethen efo'i wallt ar un ochor.'

'Ai Indiad Coch ydi o?' gofynnais i Meiriona.

'Nage, hogyn bach tua deg oed o India ydi o,' atebodd.

Bu hyn yn digwydd am ryw ddeng munud, gyda'r plant a'u rhieni yn disgrifo'r hyn a wnaent. Wedyn aeth eu presenoldeb yn wan, a darfod.

15.

Llywarch Hen a Gwenffriw

Un tro penderfynais fynd â thâp-recordydd gyda mi er mwyn ceisio recordio lleisiau'r ysbrydion a'r drafodaeth rhyngom arno; ar yr un pryd gobeithiwn y gallem eu gweld yn glir. Gwyddwn fod rhai ysbrydegwyr wedi ceisio cofnodi lleisiau ysbrydion fel hyn o'r blaen, ond ni chawsant lwyddiant. Er bod y peiriant recordio yn gweithio'n iawn cyn i'r ysbrydion gysylltu â'r criw ar y noson honno, wrth chwarae'r tâp yn ôl, nid oedd wedi codi'r un gair o'r sgyrsiau a fu gyda nhw. Aed ati wedyn i geisio gweld pam nad oeddem wedi llwyddo i recordio dim. Recordiwyd ein lleisiau ein hunain arno, a chafwyd ei fod yn gweithio yn iawn, a bod ein lleisiau i gyd yn hollol glir arno; ond roedd rhywbeth wedi digwydd i'r peiriant wrth gyfathrebu â'r ysbrydion. Yn fy meddwl i, mae'n rhaid nad oedden nhw yn fodlon i'r sgyrsiau gael eu recordio, ond tybed a oedd modd i ni oresgyn y broblem hon drwy inni ofyn ymlaen llaw i'r ysbryd, pwy bynnag fyddai, am ei ganiatâd i gofnodi ei lais o a'n lleisiau ninnau, tra byddai'r ysbryd yn ymrithio o'n blaenau ar yr un pryd, fel y gallem ei weld yn iawn.

Pan gyrhaeddodd Elwyn acw cynigiais y syniad hwn, a phenderfynwyd y byddem yn rhoi cynnig arni. Pe byddai'r ysbryd yn gwrthod, yna byddem yn gwybod yn iawn na fyddai diben ceisio'i recordio o gwbwl. Roedd yn rhaid inni gael caniatâd.

Ar raglen deledu dro yn ôl fe recordiwyd y drafodaeth rhyngom ni a phobol o'r tu hwnt, ond nid oedd y rhain yn weladwy. Fe wyddwn i yn iawn eu bod yno, yn sefyll o'n blaenau, un ai ar Elwyn neu'n sefyll wrth ei ochr, gan fy mod yn ymdeimlo'n gryf â'u presenoldeb, ac yn cael negeseuon ganddyn nhw. Roedd y gweddill yn cadarnhau'r hyn a deimlwn i, ond nid oeddwn yn disgwyl i neb fod yn weladwy i'r llygad. Y noson honno, roedd criw teledu gyda ni. Ni wyddem a oedden nhw yn credu yn yr hyn roeddem yn ei wneud ai peidio. Yn ogystal, roedd camerâu teledu a goleuadau llachar yno, a gallai'r rhain, o bosibl, rwystro ysbryd rhag ymddangos. Ar gyfer y teledu y bwriedid cynnal y sesiwn hon yn bennaf, ond, fel y digwyddodd pethau, cafwyd tipyn mwy na'r disgwyl o hanesion gan yr ysbrydion, ond ni welwyd yr un ohonyn nhw, er ein bod wedi eu gweld o'r blaen.

Roedd Elwyn â'i lygaid ynghau, a sgwrsiai Rhodri a minnau am farddoniaeth. Buom wrthi am ryw bum munud.

'Fy Arweinydd Ysbrydol, 'dwi'n gofyn iti am ganiatâd i recordio'r sgyrsiau yma heno, ac ar yr un pryd ein bod yn gallu gweld pwy bynnag a ddaw atom yn glir. Ydi hi'n iawn inni wneud hyn?' gofynnodd Elwyn.

Cafodd arwydd ganddo fod popeth yn iawn a'r canlyniad yw fod gennyf yn fy meddiant amryw o dapiau lle mae'r sgyrsiau a gaed hefo gwahanol ysbrydion wedi cael eu recordio yn hollol glir a dealladwy, ac ambell waith mae llais yr ysbryd ei hun ar y tâp.

'Tra oeddach chi'n sgwrsio am farddoniaeth rwan, mi own i'n gweld hen ŵr gyda gwallt brithwyn a barf hir ganddo,' meddai Elwyn.

'Oes 'na enw'n dwad?' gofynnais.

Yn sydyn dechreuodd yr iasau gerdded fy nghefn, a daeth ffurf dyn i'r golwg ar Elwyn. Gŵr mewn gwth o oedran oedd hwn, a 'doedd gen i ddim syniad pwy ydoedd.

'Oes, mi 'dwi'n ca'l yr enw Llywarch Hen. Mae o'n gry' iawn rwan.'

'Be' 'di'r flwyddyn?'

'Y flwyddyn ydi 643. 'Dwi'n gweld hen fachgen efo barf ac mae ganddo fo ffon yn 'i law. Mi fedra' i 'i weld o'n 'ista' efo'i ffon yn 'i law. Mae o tua wyth deg oed ac yn gwisgo gŵn o liw brown. O! mi fedra' i 'i weld o'n ŵr ifanc hefyd. Mae o'n newid o fod yn hen i fod yn ifanc ac wedyn yn hen yn ôl. Pan mae o'n ifanc, gwallt brown tonnog sydd ganddo fo, ac mae'r enw Gododdin yn dwad.'

Dechreuais innau sôn am Gatráeth ac am Ganu Aneirin a Thaliesin a Chanu Heledd. Wrth imi wneud hyn dôi'r presenoldeb yn gryfach, ac roedd yr hen ŵr wedi troi yn y gadair gan edrych yn syth arnaf. Roedd ei wedd yn arw, er nad oeddwn yn ei weld yn berffaith glir. Dim ond ffurf wan oedd yno. Soniais am yr hanes am ei feibion i gyd yn cael eu lladd mewn brwydrau, ac am Gwên, yr ieuengaf, yn cael ei ladd yn Rhyd Forlas. Gyda hyn cryfhai'r presenoldeb.

'Be' sy'n digwydd rwan?' gofynnais i Elwyn.

'Mae ganddo fo farf fawr. Mae ganddo ffon, mae'i law o ar ffon.'

'Ydi o'n fynach?'

'Na, 'dio ddim yn fynach. 'Tydi'r wisg yma ddim at 'i draed o, dim ond at 'i wasg o. Rwan 'te, mi fedra' i weld y wisg mae o'n 'i gwisgo. Mi fedra' i weld y crys 'ma ne' beth bynnag mae o'n 'i wisgo. Mae o'n stwff o lia'n bras, ac mae gyno fo rywbeth am 'i wddw. Mae'r crys yn llwyd 'i liw ac mae gŵn, *cape* brown, drosto fo.'

'Ymhle'r yden ni rwan?'

'Ymhle yn ddaearyddol, felly?'

'Ie.'

''Dwi ddim yn ca'l dim rwan. 'Tydi o ddim yn gyfarwydd iawn efo be'r ydan ni'n 'i 'neud. Ydi Gododdin yn meddwl rhywbeth?'

'Ydi, y Gododdin ydi'r farddoniaeth hyna' un sy gynnon ni.'

'O! mae o'n agos iawn rwan.'

'Canu Aneirin. Ydi o'n adrodd yr hanes am y frwydr yng Nghatráeth pan laddwyd tri chant o ŵyr?' Nid oedd dim yn dod ganddo ar y trywydd hwn.

''Dwi'n edrych drwy friga' coed heb ddail o gwbwl, rwan, coed noethion, ac mae hyn yn golygu'r gaea' i mi,' meddai Elwyn ymhen ychydig. 'Mae'n bwysig iawn yn y cyswllt yma ein bod ni'n deud am bob peth sy'n dwad. 'Dwi'n edrych ar wal gerrig rwan. Mae cen hen wal gerrig i'w weld rwan, ac ar yr ochor draw i'r hen wal 'ma mae'r coed a'r briga' yn noeth i gyd. Y *chap* 'ma pan oedd o'n ifanc, fo sy'n gyrru'r llunia' yma imi.'

'Be' ydi enw mam Gwên, a mam y meibion a gollaist ti i gyd yn y brwydre?' gofynnais iddo. Adroddais ddarnau o farddoniaeth allan o Ganu Heledd, am Dren yn llosgi a Chynddylan Wyn yn cael ei ladd.

''Dwi'n edrych ar fflama' tân yn goleuo'r awyr i fyny rwan, yn goleuo'r cymyla' i gyd,' meddai Elwyn. ''Dwi'n edrych dros fryn a 'dwi'n gweld fel 'tasa' tân yn goleuo'r awyr. Eto 'dwi'n gweld y wal gerrig a'r coed noethion y tu ôl iddi, ac ar y chwith imi dros y bryn 'dwi'n gweld yr awyr yn goch.'

'Be' sydd i'w weld yn llosgi? Ydi'r gwellt yn llosgi?'

''Fedra' i ddim gweld dim byd, ond mae'r tân dros y bryn yn bell i ffwrdd. Heldrin.'

'Pa heldrin ydi hi?'

'Gododdin ydi o i gyd. Mae'r enw Gododdin 'ma yn dwad eto ac eto ac eto imi. Llywarch, Llywarch. Mae gair fel Morwen neu rywbeth fel 'na yn dwad. Llŷr, Caswallon, Cadwallon. Mae'n rhaid inni fynd yn ôl at y wal. Mi fedra' i weld y wal a'r tân, rwan.'

'Ymhle?'

''Dwi allan, 'dwi'n teimlo 'mod i uwchben rhyw ddyffryn, ac mae'r coed 'ma ar fin y dyffryn, ac mae'r wal 'ma, 'dwi ddim yn bell o Fetws-y-coed, fel mae rhywun yn mynd ar hyd yr A5 am Fetws-y-coed mae 'na ryw ddyffryn, i lawr ar yr ochor chwith i'r ffordd, ac mi ydw i'n edrych dros rywle tebyg iawn i'r fan yna. Ie, Dyffryn Lledr ydi o. O! mae o'n gry' rwan.'

'Be' 'di'r cysylltiad efo Dyffryn Lledr?'

'Reit, mi ydan ni wedi lleoli hwnna rwan. Mi ydan ni wedi ca'l y neges.'

'Yden ni'n dal yn yr un cyfnod?'

'Galwch fi'n Llywarch, cyfarchwch fi fel Llywarch,' llefarodd Elwyn.

Ceisiodd Elwyn a minnau ei groesawu atom, gan ofyn iddo beth oedd y teimlad a goleddai tuag at Ddyffryn Lledr. Fel yr oeddwn yn sôn am y dyffryn roedd ei bresenoldeb yn dod yn gryfach inni.

'Be' ydi Betws Wyrion Iddon i ti?' gofynnais iddo. 'Enw newydd ydi Betws-y-coed, yntê, a 'tydi o ddim yn golygu dim i ti, yn nac'di?' Ar hyn daeth yn gryfach inni a daeth newid mawr i'w wedd. Gallwn ei weld yn cynhyrfu, ac fe'i gwelwn yn llawer gwell. Roedd yn amlwg fod teimlad mawr ganddo tuag at yr ardal hon.

'Mae o'n dangos . . . mae 'na gysylltiad efo Dyffryn Lledr,' meddai Elwyn. Mae o'n sôn am 'i fam. Mae o'n lleoli'r fam, rwan, i fyny'r dyffryn; i fyny i gyfeiriad Dolwyddelan, i fyny ffordd 'na yn rhywle. 'Dwn i ddim os mai'i fam o ydi hi, ond mae o'n dangos dynes imi. Mi fedra' i weld wyneb y ddynes 'ma.'

'Be' 'di'i hoed hi?'

'Dynes ganol oed ydi hi, ac mae hi wedi ymwisgo. Mae ganddi hi rywbeth gwyn am 'i phen, dynes fawr gadarn, ac mi fedra' i 'i gweld hi'n sefyll yn y lle yma fel pe basa' fo yn 'i dangos hi imi. Bron na fuaswn i'n medru dangos yn union ymhle yn y dyffryn.'

'Pwy ydi hi?'

'Ei henw hi ydi Gwenffro neu Gwenffrwd, 'dwi ddim yn siwr eto.'

'Ym mha gyfnod yden ni? Pa flwyddyn ydi hi?'

'576. 'Dwi'n ca'l yr argraff mai mam y dyn, mam Llywarch, ydi hi. 'Dwi ddim yn siwr os mai Gwenffrwd ne' Gwenffriw ydi'i henw hi, 'dwi ddim yn siwr. Gwenffriw. Mi fedra' i 'i gweld hi. 'Does 'na ddim tad o gwbwl. Mae hi nid yn unig yn gry' o gorff, mae hi'n gry' 'i meddwl hefyd, bron iawn fel pe basa' hi'n arweinydd o ryw fath. Mae hi'n sefyll allan uwchben pawb felly. Mae ganddi hi rywbeth gwyn am 'i phen. Mae o'n wyn ar bob ochor ac yn mynd yn bigyn ar y top ac i lawr bob ochor 'i hwyneb hi. Mae hi'n ddynes arbennig iawn.'

'Mae Llywarch Hen yn gysylltiedig efo hi?'

'Ydi. Mae Llywarch yn rhoi'r argraff i mi nad ydi o'n ddim ond corrach wrth ymyl y ddynes 'ma, 'i fam o. 'Tydw i ddim yn siwr iawn os mai'i fam naturiol o ydi hi ynte' mam eglwysig ydi hi, ynte' be'. Mi alla' hi fod yn fam eglwysig.'

Cawn y teimlad fod cysylltiad rhyngddi hi a Betws Wyrion Iddon.

'Be' 'di'i chysylltiad hi efo Betws Wyrion Iddon. Mae 'na gysylltiad rhyngddi hi a'r lle 'ma?'

'Oes, 'dwi'n ca'l rhyw gryndod trwydda' i pan wyt ti'n deud y gair yna. 'Dwi'n gweld adeilad bach rwan, fel eglwys. 'Tydi hi ddim yn eglwys fawr o gwbwl. Mae hi wedi ei hadeiladu o gerrig ac mae'r ddynes yma yn sefyll gerllaw'r eglwys 'ma rwan.'

'Oes 'na enw ar yr eglwys?'

''Dwi'n 'i gweld hi, y ddynes 'ma. Mi o'n i'n gweld 'i llun hi gynta' yn sefyll i fyny uwchben y coed a phob peth.'

Gwelwn fod ganddi rywbeth yn ei llaw, ond ni allwn weld beth ydoedd yn union.

'Be' sydd ganddi hi yn 'i llaw?'

'Llaw? Gad i mi weld y pictiwr eto. Ydi, mae hi'n cario rhywbeth yn 'i llaw.'

'Mae 'na rywbeth dwyfol yn 'i chylch hi, yn 'toes?'

'Mae 'na rywbeth dwyfol yn 'i chylch hi, oes. Mae hi'n cario rhywbeth yn 'i llaw, rhywbeth bychan yn 'i llaw. Mi 'nes i feddwl gynta' mai llyfr bychan sy ganddi hi, neu sgrôl ne' beth bynnag oedd ganddyn nhw adeg hynny. Mae 'na rywbeth yn hongian ohono fo, ond hefyd 'dwi'n 'i gweld hi yn anwylo plentyn, yn dal plentyn bychan, plentyn bach, yn 'i dwy law, rwan.'

'Oes 'na enw ar y plentyn?'

'Oes, Eidda. Mae 'na enw Celeddin hefyd.'

'Enw plentyn arall, ie?'

'Na, cysylltiad efo'r eglwys, eglwys Celeddin.'

'Hi ydi mam Eidda felly, ie?'

'Mae 'na lawer o blant bach yn mynd drwy'i dwylo hi. Mae 'na lawer o fabanod. Mae hi'n g'neud llawer efo babanod sy'n perthyn i bobol er'ill.'

'Fel mam faeth, felly?'

'Na, 'tydi hi ddim yn 'u magu nhw, nac'di, mae hi yn 'u bendithio nhw. 'Dwi'n ca'l darlun o'r ddynes 'ma o hyd. Mae gen i deimlad o ryw hapusrwydd mawr. Mae hi wedi dwad i lawr. Pan o'n i'n 'i gweld hi gynta' roedd hi'n edrych fel cerflun, ond roedd hi i fyny uwchben pawb arall, ac mi oedd y dyn 'ma sy wedi cysylltu efo ni, Llywarch, mi oedd o fel corrach wrth ymyl y ddynes 'ma sydd i fyny yn fan'na. Roedd hi'n mynd yn fwy ac yn fwy, a Llywarch yn mynd yn llai ac yn llai wrth 'i hochor hi, a rhywbeth symbolaidd ydi hyn. Ond mae hi wedi dwad ata' i rwan. Mae hi wedi dwad i lawr ata' i rwan, a dyna sy'n rhoi'r teimlad. 'Dwn i ddim a ydach chi'n 'i deimlo fo, ond 'dwi'n teimlo hapusrwydd mawr yno' i . . . Gwenffriw.'

'Be' mae Crist yn 'i olygu iddi hi? 'Dwi'n teimlo fod ganddi feddwl mawr ohono fo.'

'Mae hi'n dangos . . . 'dwi'n gweld croes rwan.'

'Ar 'i brest hi?'

'Ie, mae hi yn erbyn 'i brest hi, dim rhywbeth fasa' hi'n 'i wisgo. Mae'n dangos y groes i mi rwan, a dyma sy'n ddiddorol, mae'r groes megis o fetel, megis o . . . 'dwi ddim yn siwr pa fetel ydi o, ond rhywbeth fel pres faswn i'n deud. 'Tydi'r groes . . . 'tydi'r pethe, 'tydan nhw ddim yn syth fel mae croes Geltaidd, maen nhw'n agor yn llydan ar y top fel 'na.' Disgrifiodd Elwyn y groes a welai inni.

'Ar ôl i ti ofyn a oedd Crist yn golygu rhywbeth iddi hi, mi ddaliodd y groes yn erbyn 'i bron.'

'Croes Geltaidd ydi hon?'

'Ie, croes Geltaidd ydi hi.'

'Eglwys Celeddin, ie?'

'Ie, 'dwi'n 'i gweld hi'n gliriach rwan. Wel, 'dwi'n gweld y pen o hyd, ac o dan y peth gwyn sydd ganddi hi, peth gwyn sy'n mynd yn big uwch 'i phen hi ac yn hongian i lawr dros 'i hwyneb hi, i lawr at 'i gên hi, wel, dipyn bach yn is na'i gên hi, 'dwi'n 'i gweld hi'n gwisgo rhywbeth glas, glas gweddol ola'. 'Dwi ddim yn gweld 'i thraed hi. 'Dwi'n teimlo nad ydi hi ddim yn fam naturiol i Llywarch, na mam grefyddol; mam ysbrydol neu rywbeth felly ydi hi.'

'Ydi'r enw Dolegynwal yn golygu rhywbeth iddi hi, neu yden ni'n rhy gynnar?'

'Dolegynwal? Wrth iti sôn am . . . am y gair yna, 'dwi'n teimlo ofn a thywyllwch.'

'Pam, be' sy' wedi digwydd yno?'

''Dwi'n gweld mur uchel. Mae gen i'r teimlad fod rhyw fath o drasiedi neu rywbeth i'w wneud efo'r enw.'

'Yn Nolegynwal?'

'Ie, 'dwi'n gweld düwch, 'dwi'n gweld mur, ac mae gen i deimlad o ofn, a theimlad o ddigalondid ofnadwy.'

'Be' sy' wedi digwydd yno?'

''Dwi'n teimlo fod 'na adeilad yno efo muriau uchel. Mae rhywun wedi ca'l 'i gau yn yr adeilad.'

'Ai ysbyty ydi'r adeilad? Oes 'na gleifion i'w gweld yno?'

'Mae 'na bobol i mewn yn yr adeilad yma, llawer o bobol i mewn yn yr adeilad yma. Maen nhw'n gwisgo dillad brown, llaes, a rhywbeth . . . 'does ganddyn nhw ddim 'sgidia', ac mae 'na rywbeth . . . maen nhw wedi ca'l 'u cau yn y lle 'ma. Mae 'na rywbeth ar yr ochor allan wedi digwydd, tân, dychryndod – mae'r bobol 'ma'n gweiddi.'

'Be' ydi cysylltiad Gwenffriw efo'r lle hwn?'

''Dwi ddim yn meddwl fod 'na gysylltiad uniongyrchol efo hi, ond bod y lle 'ma'n gyfagos. 'Dwi'n teimlo'i bod hi yn fa'ma, ac mae'r lle yma yn y fan acw.'

'Ond mae 'na gysylltiad cry' efo Betws Wyrion Iddon?'

'Oes, mae'r gair yna yn ca'l effaith.'

'Ac Eidda, be' ydi'i chysylltiad hi efo Eidda.'

'Mae hi'n galw Llywarch yn fab, ac mae hi'n sôn am Eidda fel mab yn ogystal, ond nid meibion naturiol iddi hi ydyn nhw. Rwan, mae hi'n dangos y plant bach, y babanod yma imi o hyd.'

'Plant pwy yden nhw?'

'Maen nhw fel 'tasa' nhw wedi ca'l 'u mabwysiadu.'

'Ganddi hi?'

'Ie, ond mae 'na rai er'ill yno hefyd.'

'Ymhle mae'r plant bach yma? Ac mae 'na leianod yn gysylltiedig efo hi, yn 'toes?'

'Heb fod ymhell o'r eglwys. 'Dwi'n sefyll ar ochor yr A5 a 'dwi'n sbïo i fyny i gyfeiriad Dolwyddelan, ac mae'r eglwys i fyny yn fa'no. Mi ydw i'n gweld adeilad arall rwan, adeilad hir o gerrig fel rhyw 'sgubor hyfryd, fawr. 'Dwi'n ca'l hogla' persawr a chanhwylla', ac mi ydw i'n ca'l yr enw Manod. Mae hi yn fy arwain i i'r adeilad arall 'ma rwan. Mae 'na fel hollta' yn y wal i'r gola', ac mae 'na lawer o blant bach yno, a llawer o ferched yn edrych ar 'u hôl. 'Dwi'n rhyw deimlo 'u bod nhw'n edrych ar ôl y plant bach, ne' mi fydden nhw wedi marw. Mae gen i syniad hefyd 'u bod nhw'n edrych ar ôl y plant 'ma hyd at ryw oed, a'u bod nhw wedyn yn mynd allan i deuluoedd i gael 'u magu gan bobol er'ill.'

'Ai yn y fan hyn y cafodd Llywarch Hen 'i fagu?'

'Ie, dyna'r teimlad rydw i'n 'i ga'l, ac Eidda hefyd. 'Dwi'n ca'l darlun o ddyn gwael 'i iechyd, ac mae o'n edrych yn hynod o dena' yn fachgen ifanc, ac Eidda ydi hwnnw. A 'dwi'n teimlo fod gan rai o'r plant 'ma ar ôl ca'l 'u magu yma rywbeth i'w 'neud efo'r ffydd.'

Erbyn hyn aeth y presenoldeb yn wan a theimlem ein bod wedi cael hynny o wybodaeth a oedd i ddod gan Lywarch Hen, a'i bod hi'n hen bryd inni roi'r gorau iddi.

16.

Emrys Cyffylliog

Ar ôl gorffen gyda Llywarch Hen a Gwenffriw buom yn sgwrsio ymysg ein gilydd am ryw chwarter awr, a thra siaradem roedd presenoldeb rhywun yn troi o gwmpas y 'stafell. Tynnais sylw'r lleill at hyn, a chytunent fod rhywun yn bresennol gyda ni. Yn sydyn daeth clec fach o gyfeiriad y tu allan i ddrws y 'stafell. Clywodd pawb ohonom y glec, yna, ymhen ychydig, daeth sŵn o gyfeiriad y llofft uwch ein pennau, fel pe bai rhywun yn llusgo rhywbeth ar draws y llawr. Daliem i sgwrsio a theimlwn y presenoldeb yn iasau yn fy nghefn.

'Mae 'na rywun yma rwan.'

'Oes. 'Dwi'n ca'l darlun o ddyn. Mae o 'nhraed 'i sana' ac mae ganddo fo sana' glas tywyll am 'i draed. Mae ganddo fo drowsus ac mae o'n gwisgo bresus, ac mae ganddo fo grys gwlanen amdano. Mae hwnnw ar agor.'

Gwelwn ddyn yno ar Elwyn. Roedd fel pe bai yn colli'i wallt.

'Mae hwn yn colli'i wallt, yn 'tydi?'

'Ydi, mae'i wallt o'n dena', a 'does ganddo fo ddim barf.'

Ar hynny daeth yn gryfach o lawer ac ymddangosodd yn gliriach. Ymunodd Meiriona yn y sgwrs gyda hyn.

'Mae ganddo fo wyneb hir, ac mae ganddo fo bwt o fwstásh hefyd.'

Ceisiais ei ddenu yn nes atom.

'Ty'd o'ne, ty'd aton ni yn iawn. Mi wyt ti o gwmpas ers meitin, yn 'dwyt ti? Ryden ni wedi dy glywed di.'

Daeth gwên lydan i'w wyneb wrth imi lefaru, ac aeth yn fwy hyderus yn ein plith.

'Mi wyt ti'n rhadlon braf, yn 'dwyt ti? Mi yden ni'n ca'l gwên fawr gen ti rwan.'

''Dwi'n ca'l yr enw Emrys,' meddai Elwyn.

'Emrys be' wyt ti?'

''Dio ddim yn rhoi enw imi, ond mae o'n rhoi Cyffylliog, Emrys Cyffylliog, Cyffylliog.'

'Ym mha flwyddyn yden ni, Elwyn?' gofynnais.

'1747. Mi fedra' i 'i ogleuo fo hefyd.'

Aeth Elwyn i anadlu'n ddwfn.

'Ymhle'r wyt ti'n byw, Emrys? Be' ydi enw dy dŷ di? Mi 'nest ti sŵn yn y llofft 'na ychydig yn ôl, yn 'do?'

Fel yr oeddem ni yn sgwrsio gydag o, cryfhai ei bresenoldeb o hyd.

'Mae o'n clecian 'i fysedd, clec, fel'na. Ydach chi'n clwad y sŵn 'na?'

Roeddem i gyd yn clywed hyn, ond clywsom yr un sŵn ryw chwarter awr yn gynharach, y tu allan i ddrws y 'stafell, a gwyddem bryd hynny fod rhywun ar ei ffordd atom.

'Be' 'di dy waith di, Emrys? Be' wyt ti'n 'i 'neud at dy fywoliaeth?'

Tawedog oedd o ar y pryd, ond roedd yn gwenu arnom ac yn symud ei law o hyd – ei hymestyn a'i thynnu yn ôl at ei ên mewn hanner cylch, a chawn y teimlad fod ganddo feddwl mawr ohono'i hun. Roedd rhyw awyrgylch hunan-bwysig i'w ganlyn, a chawn yr argraff mai tipyn o lolyn ydoedd; yna câi blwc o rwbio'i fys ar ei fawd gan greu cleciadau bychain. Gofynnais i Rhodri a oedd wedi ei weld o yn y tŷ o'r blaen?

'Do. Mae hwn i'w weld hyd y lle 'ma bob hyn a hyn.' Ceisiais eto gael ganddo ddweud beth oedd ei waith, a bod iddo groeso i'n plith.

'Mae o'n dangos i mi be' oedd o'n 'i 'neud. Mae o'n plethu coed. Pan oedden nhw yn g'neud tai roedden nhw'n rhoi clai fel'na, ac mae o'n plethu gwiail fel'na ac yn rhoi clai drostyn nhw,' meddai Elwyn.

Dangosodd Elwyn inni sut y gwnâi hyn.

'Adeiladydd ydi o?' Nid atebodd.

'Be' ydi dy oed di rwan, Emrys?'

'*Be*'?'

'Be' ydi dy oed di?'

'*Pedwar deg tri.*'

Erbyn hyn roedd llais Elwyn wedi newid. Aeth ei lais yn ddwfn. Nid ei lais o a glywn rwan ond llais yr ysbryd ei hun yn siarad drwy Elwyn. Siaradai gyda ni yn uniongyrchol, a phan ddywedodd mai pedwar deg tri oedd ei oedran aeth ei lais yn lliwgar yn ogystal, fel pe bai yn rhyw hanner llafarganu. Roedd y pwyslais ar y tri ganddo, a chryfhai'r ymdeimlad yn ein plith ei fod yn dipyn o swanc ac yn lolyn. *Smoothy* oedd disgrifiad Meiriona ohono.

'Ymhle gest ti dy fagu, Emrys? Dwed wrthon ni be' oedd enw'r tŷ lle gest ti dy fagu. Ymhle'r oeddet ti'n byw?' gofynnais.

'*Yng Nghyffylliog, Tŷ'n y Coed, Tŷ'n y Coed*. Ydach chi'n clywed fy llais i wedi mynd yn ddwfn?' gofynnodd Elwyn.

'Be' 'di enw dy wraig di?'

'*Catrin.*'

'Oes gen ti blant? Be' 'di enwe dy blant di? Dwed wrthon ni.'

'*Alun, Huw,*' atebodd ymhen ychydig.

Yn y fan yma dechreuodd ar y stymantiau o chwarae â'i law yn bwysig eto drwy ei hymestyn tuag atom mewn hanner cylch, yna, ei thynnu'n ôl ar ei ên; wedyn câi blwc o rwbio'i ên cyn ymestyn ei law i'n cyfeiriad drachefn. Roedd yn amlwg fod hyn yn rhyw arferiad ganddo nad oedd yn ymwybodol ei fod yn ei wneud. Cawsom blwc o chwerthin am ei ben o, a chaem hwyl fawr wrth ei weld yn mynd drwy'r stymantiau hyn, gydag ambell sylw gan Rhodri yn procio'r hwyl. Dywedai ei fod yn bwysig ac yn ddiawl o foi; a thrwy hyn i gyd roedd yna awyrgylch bwysig ac ysgafn braf i'w ganlyn. Teimlwn fod ganddo ragor o blant na'r ddau y cafwyd eu henwau.

'Ie, Alun a Huw, ond be' 'di enwe'r lleill?'

'*Catrin, Catrin.*'

'Catrin ydi enw'r wraig, ie?'

'Catrin ydi'r ferch hefyd.'

'Faint o blant s'gen ti i gyd?'

'Pump.'

'Be' 'di enwe'r ddau arall?'

'Wil a Margied.'

'Be' 'di oed Wil?'

'Chwech.'

'Be' 'di oed Margied?' Ni ddaeth ateb i hyn a cheisiais ddilyn trywydd arall.

'Wyt ti'n gweithio ar y stad?'

'Plastro a gwaith coed.'

'Gwaith coed a phlastro. Ymhle'r wyt ti'n gweithio? Wyt ti'n gweithio yn Rhuthun? 'Dwi'n dy weld di yn adeiladu tai.'

Pan glywodd yr enw Rhuthun daeth ei bresenoldeb yn gliriach, fel pe bawn wedi cyffwrdd â rhyw nerf ynddo yn rhywle, ond gwyddwn ei fod yn adnabod yr ardal honno yn iawn, a dyna a wnâi iddo ymddangos yn gliriach. Roedd wrth ei fodd fy mod innau yn gwybod am yr ardal honno.

'Symud o gwmpas rydw i.'

'Symud o gwmpas i weithio rwyt ti?'

'Mae'n rhaid.'

'Oes. Mi wyt ti ar stad Nant-clwyd weithiau, yn 'dwyt ti? Efo pwy wyt ti'n gweithio? 'Dwi'n gweld dy fod di'n gweithio efo rhai er'ill.'

'Tri. Tri ohonon ni.'

'Tri ohonoch chi'n gweithio efo'ch gilydd. Be' 'di enwe'r ddau arall?'

Yn y fan hon cafodd blwc o glecian ei fysedd a rhwbio ei fawd ar hyd ei fysedd yn sydyn. Gwnaeth hyn ddwywaith gan greu sŵn clecian uchel: nid clecian bawd ar un bys ond roedd yn medru clecian y bawd ar ei fysedd i gyd. Cafwyd pedair clec wrth i'w fawd lithro ar hyd ei fysedd, a chawn yr argraff fod ganddo gyrn ar ei fysedd a bod cledr ei ddwylo yn arw iawn, gan ôl gwaith. Teimlwn ein bod yn ei golli rhyw ychydig a'i fod yn cilio oddi wrthym. Ceisiais ei ddenu'n ôl atom.

'Mi wyt ti'n ddyn da iawn efo dy ddwylo, yn 'dwyt ti – yn trwsio adeilada' ac ati efo'r gwiail 'ma?'

Ni ddaeth ymateb ganddo, ond gwelwn ddarlun ohono yn teithio, nid ar ei draed ond gyda cheffyl a throl o ryw fath, ac ni allwn weld ochrau i'r drol.

'Sut wyt ti'n mynd i dy waith? Mae gen i ddarlun o geffyl.'

'*Efo ceffyl a throl,*' meddai ymhen ychydig.

''Dwi'n 'u gweld nhw rwan yn torri'r gwiail 'ma, yn torri'r coed 'ma i lawr. Wedyn mae'r gwiail yn aildyfu'n syth. Maen nhw'n tyfu'n syth,' meddai Elwyn.

'Be' 'di'r coed – ai helyg neu sbriars ydyn nhw?'

''Dwi ddim yn siwr be' ydyn nhw . . . na, coed cyll 'dyn nhw, co . . . co . . . copses maen nhw'n 'u galw nhw. 'Dwi mewn . . . 'dwi fel 'taswn i mewn coedwig sydd wedi ca'l 'i thorri i lawr ac mae'r coed ifanc 'ma'n tyfu yn syth i fyny. Maen nhw'n uwch na 'mhen i ac maen nhw'n crymanu'r rheini, 'u crymanu nhw. Mi fedra' i weld trol, nid trol fel 'dwi wedi arfer 'i gweld chwaith. Mae o'n hen gart go lew o hir.'

'Efo gwaelod fflat, ie?'

'Ie, gwaelod fflat arno fo, ac mae llwyth o wiail ar y cart 'ma, ac ma' 'na geffyl du. Wil a Huw ydi'r ddau sy'n gweithio efo fo, Wil a Huw. Ddudis i fod Wil a Huw yn feibion iddo fo hefyd, yn 'do?'

'Do.'

'Na, nid y meibion ydyn nhw, 'dwn i ddim a ydyn nhw'n berthnasa'. Mae o'n dangos llunia' imi, ond mae o'n mynd yn bellach oddi wrtha' i rwan. Dyma 'di'r gwaith sy'n mynd ymlaen ar hyn o bryd. 'Dwi'n 'i weld o. Maen nhw'n crymanu'r coed tena' 'ma, ma' nhw'n 'u torri nhw efo cryman, ac wedyn maen nhw'n torri'r brigau bach sydd wrthyn nhw. Maen nhw'n hir beth bynnag, ac wedyn maen nhw fel ffyn syth ar y cart 'ma. Cyffylliog.'

'Ymhle mae Tŷ'n y Coed?'

'Yn Cyffylliog.'

Ar hyn cawn ddarlun o gipar yn cario gwn ac yn cerdded ar gae yn rhywle.

''Dwi'n gweld cipar y stad. Be' 'di'i enw o? 'Dwi'n 'i weld o'n cerdded o gwmpas y caea' ac yn cario gwn.'

''Dwi yn gweld . . . 'dwi'n gweld tŷ bychan rwan, fel tŷ cipar neu dŷ rhywbeth ar stad,' meddai Elwyn.

'Sais ydi'r cipar 'ma, yntê? Be' 'di'i enw o?'

'Mae gen i ddarlun o'r cipar 'ma rwan. Ma' ganddo fo fwstásh bach. Tal, dyn tal . . . mae o'n gwisgo . . . mae gyno fo ddillad brown fel *check* felly amdano fo, dyn tal.'

'Be' 'di'i enw o?'

'Jenks neu rywbeth fel'na, Jenks, 'dwi ddim yn siwr.'

'Be' oedd dy oed di'n marw, Emrys? 'Dwyt ti ddim wedi marw yn bedwar deg tri oed, yn naddo?' gofynnais i'r ysbryd.

'Na,' atebodd Elwyn, ''tydi o ddim wedi marw yn bedwar deg tri. Roedd o'n gweithio yr amser hynny, ond mae gen i syniad nad ydi o wedi byw yn hen chwaith . . . pump deg tri, pump deg tri oed oedd o pan fu farw. 'Dwi'n 'i weld o'n gweithio efo'r cyll 'ma rwan. Mae yna ffrâm bren o goed i'r tŷ ac mae o'n gweu'r gwiail 'ma o gwmpas y ffrâm, ac wedyn maen nhw'n gwasgu'r clai wedi ei gymysgu efo calch rhwng y gwiail i lenwi'r tylla'.'

'Pa enwad wyt ti?'

Roedd wedi pellhau oddi wrthym bellach, a bu distawrwydd am dipyn. Nid oedd yr ymdeimlad o bwysigrwydd i'w gael mwyach, a theimlwn ei fod ar fin gadael ein cwmni.

'Enwad? Wyt ti'n mynd i eglwys neu gapel, Emrys?' gofynnais.

Ond graddol gilio a wnaeth, a daeth yn amlwg ei fod wedi dweud popeth a oedd ganddo i'w ddweud am y tro. 'Doedd dim dewis gennym ond rhoi'r gorau iddi. Roedd Emrys Cyffylliog wedi cael digon arnom.

17.

Gwilym Mersia ac Owain Glyndŵr

Gan fod milwr wedi ymddangos un noson pan oeddem yn sgwrsio
â'r Esgob Gwilym Mersia a chan fod Elwyn yn credu mai Owain
Glyndŵr ydoedd, meddyliwn hwyrach y gallem ei annog atom
eto pe byddem yn gofyn i'r Esgob ei gyflwyno inni. Ni wyddwn
am neb arall a oedd wedi gwneud hyn o'r blaen ond roedd yn
werth rhoi cynnig arni i weld beth a ddigwyddai. Yn ôl yr hanes
am yr Esgob bu'n Drysorydd Lloegr dan Edward y Cyntaf, a bu
iddo bechu yn erbyn llawer iawn o bobl drwy orchymyn i'r eglwysi
roi hanner eu cyfoeth i'r Brenin er mwyn iddo fedru cyflogi milwyr
i fynd i ryfela yn Yr Alban. Roeddwn yn awyddus i ofyn cwest-
iynau iddo ynglŷn â hyn, ond yn gyntaf roedd yn rhaid ceisio
cael yr hen Esgob i ymddangos.

Aeth Elwyn i fyfyrdod dwfn gan ei wahodd atom am sgwrs.
Roedd Rhodri a minnau yn sgwrsio am yr hyn a'r llall, ac yn sydyn
teimlwn bresenoldeb rhywun yn dod atom; yna, yn sefyll o'n
blaenau, roedd yr Esgob, yn gwenu'n braf ac yn codi ei fraich i'n
cyfarch fel yr arferai ei wneud. Cyferchais innau yntau.

'Croeso yma iti, Gwilym. Sut wyt ti heno? Mi fuost ti yn
Drysorydd Lloegr yn 'do, ac roeddet ti yn ddyn ariannog iawn dy
hun, yn 'doeddet ti? Mi fu ymgais i dy wneud di'n sant hefyd, ond
roeddet ti wedi pechu yn erbyn pobol oherwydd casglu'r arian
'ma. Dwed i mi, faint o arian ddaru ti 'i gasglu gan yr eglwysi yn
1284 i Edward?'

Daeth ymdeimlad o densiwn i'r 'stafell wedi imi ddweud hyn, a chawn yr argraff nad oedd yn rhyw fodlon iawn fy mod wedi darganfod yr hanes hwn, ond ymhen ychydig, ar ôl cryn swcr, atebodd.

'*Saith . . . saith mil.*'

'Saith mil o bunnoedd?'

'*Saith mil o bunnoedd.*'

'Yn erbyn pwy roedd Edward yn ymladd yn Yr Alban yr adeg honno? Roedd o'n ca'l milwyr o wahanol wledydd i ymladd iddo fo, ac roedd yn rhaid talu am hyn. Yn erbyn pwy roedd o'n ymladd?'

Ni chawn ateb ganddo a gofynnais gwestiwn arall.

'Am faint o amser fuodd o'n ymladd yn Yr Alban?'

Bu tawelwch am ysbaid go hir cyn cael ateb.

'*Naw mis.*'

'Naw mis o ymladd?'

'*Ie.*'

'Yn erbyn pwy roedd o'n ymladd? Pwy oedd arweinydd yr Albanwyr?'

'*Wal . . . Wallace, Wallace.*'

'O! mae o'n agos rwan,' meddai Elwyn.

Er gofyn llawer o gwestiynau eraill iddo, nid oedd dim gair i'w gael.

'Mi ddywedist ti o'r blaen fod 'na fydoedd eri'll, a bod 'na bobol yn byw arnyn nhw. Sut bobol yden nhw? Yden nhw rywbeth yn debyg i ni, neu yden nhw'n wahanol i ni?'

'Mae o'n dangos llunia' i mi rwan. Maen nhw'n debyg i ni, pobol hynod o debyg i ni,' meddai Elwyn.

'Pa iaith ma' nhw'n 'i siarad? Ydi hi'n debyg i'n hiaith ni, oes ganddyn nhw wyddor?'

'Yr ateb ydi, 'does dim angen iaith, mae o'n deud fel 'dwi'n siarad efo chi rwan.'

'O! felly mae 'na eiria' ganddyn nhw. Mi yden ni yn siarad efo chdi mewn geiria' ac agwedda' ac ryden ni'n dallt y rheina.'

'*Ydach chi'n ca'l darlunia'?*' gofynnodd.

'Ydan, ond 'tyden ni ddim yn dallt sut maen nhw'n dwad yma i'n byd ni. Yden nhw'n dwad mewn peirianna'?'

'Mi 'na' i egluro'r peth: mae'r meddwl yn rhydd i ganolbwyntio ar unrhyw fan neu ymlynu . . . ymwneud ag unrhyw fater os ydi'r amgylchiadau'n ffafriol. Mae'n rhaid bod ynni ar gael.'

'Pa fath o ynni?'

'Ynni o fewn unrhyw gyfundrefn weithredol.'

'Yn ein byd ni 'fedrwn ni ddim creu na dileu ynni?'

'Mi fedr y meddwl, y meddwl allanol, drosglwyddo ynni i'ch byd chi, dim ond defnyddio'r ynni sydd ar gael yn rhydd.'

'Be' 'di ynni allanol? Be' 'di ystyr hynna?'

'Mae 'na amryw o fydoedd a sefyllfaoedd ar gael. Mae pob un yn gyfundrefn gyfan sy'n gallu trosglwyddo ynni o un i'r llall, yn rhoi lle i'r meddwl weithredu, i'r meddwl sydd yn gysylltiedig ag un stad i chi efo stad arall, rhaid defnyddio'r ynni sydd ar gael.'

Roedd y geiriau hyn yn swnio'n ddyrys, ond fe'u cofnodir yma yn union fel y cawsant eu llefaru.

'Yr ynni sydd ar gael yn ein byd ni?'

''Dwi ddim yn deall hwnna, 'fedrwn ni ddim ymyrryd â'ch byd chi heb fenthyca'r ynni sydd yn berthnasol yn eich byd chi, ac mi fedrwch chi gysylltu efo ni drwy ofyn am arweiniad i wneud hynny.'

Ar hyn daeth y tâp i ben ei daith a rhoed y gorau i siarad â Gwilym tra oeddwn i yn newid batris y peiriant ac yn rhoi tâp arall ynddo. Erbyn inni ailddechrau'r cyfarfod nid oedd presenoldeb Gwilym yno, a bu'n rhaid gofyn iddo ailymddangos, a gofyn hefyd a wnâi gyflwyno Owain Glyndŵr inni.

'Am yr ychydig amser sy'n weddill heno, a oes modd i ni gael y fraint o gyfarfod ag Owain,' meddai Elwyn. ''Dan ni'n rhyw ama' ein bod ni wedi ca'l ei bresenoldeb o yma o'r blaen. Os ydi hynny'n bosib heno, gawn ni'r fraint eto o ga'l cwmni Owain yma?'

Teimlwn bresenoldeb rhywun yn dod trwodd atom.

'Ma' 'na rywun yn dwad rwan,' meddwn.

Yna, treiddiodd awyrgylch bwysig a thrydanol drwy'r lle a gwelwn ffurf wan yn ymddangos ar Elwyn, ond ni allwn weld yn iawn sut berson oedd yno. Er hynny, gwelwn mai ffurf dyn ydoedd, a gwyddwn mai Glyndŵr ydoedd. Cyferchais ef.

'Dywysog, croeso aton ni.'

Daeth yn gliriach gyda hyn, a chafwyd gwên fawr gynnes ganddo a chododd ei law chwith i'n cyfarch. Roedd oddeutu pum troedfedd ac wyth modfedd o ran taldra, fel y gwelwn i o. Dechreuais ei holi drwy ofyn ymhle y cafodd ei gladdu, beth oedd enwau ei rieni, ac yn y blaen, ond tawedog ydoedd. Bûm yn ei holi am ryw funud gan sôn yn ogystal am y Gymru gyfoes.

'Mi yden ni'n mynd i ga'l rhyw lun o senedd o'r diwedd,' meddwn wrtho.

Ni ddaeth yr un gair ganddo, a chiliodd y wên; yna, gwelwn ddagrau yn treiglo'n araf ar hyd ei ruddiau ac roedd awyrgylch emosiynol iawn yn y 'stafell bellach.

'Ym Machynlleth y dylai hi fod, ond yr hyn sy'n bwysig ydi ein bod wedi ca'l un o'r diwedd, yntê?'

'*Ie*,' atebodd yn ddistaw.

'Wyt ti am ddeud wrthon ni ymhle gest ti dy gladdu?' gofynnais, ond ni ddaeth ateb. Gofynnais ragor o gwestiynau, ond tawedog iawn ydoedd.

'Mae o'n dangos diddordeb mawr yn y syniad o ga'l senedd i Gymru,' meddai Elwyn.

'*Wylwch o lawenydd, ac nid o dristwch, bellach,*' meddai wedyn yn annisgwyl.

''Dwi'n ca'l y syniad fod y stori am Kentchurch yn wir, 'i fod o wedi mynd i fyw at 'i ferch yn Kentchurch, a 'does yna ddim byd yn tynnu oddi wrth y stori yma,' meddai Elwyn wedyn.

Dyna'r cyfan a gafwyd ganddo, ond mae patrwm pendant i'w weld gyda phob un ohonyn nhw. Tawedog ydyn nhw y tro cyntaf y cysylltant â ni, ond pan ddônt yr ail a'r drydedd waith maen nhw'n fwy parod i siarad o lawer.

18.

Albert a Catherine Ann Jennings

Roedd rhywun arall yn poeni'r teulu erbyn hyn, swn cerdded yn mynd i fyny'r grisiau ac ar hyd y landin hyd at y llofftydd, swn traed ysgafn tebyg i blentyn yn cerdded yn nhraed ei sanau. Ar ôl cyrraedd Bryntirion un noson ym Medi 1997 cawsom baned tra oeddem yn gwrando hanes yr hyn a oedd yn digwydd yno. Dilynwyd y drefn arferol: sgwrsio ymysg ein gilydd am ryw chwarter awr, a sôn am y digwyddiadau yn y tŷ ac am yr ysbrydion a gysylltodd â ni o'r blaen. Yn sydyn teimlwn yr iasau yn dechrau cripian yng ngwaelod fy nghefn ac yn gweithio i fyny i'r pen, yr arwydd cyntaf fod rhywun yn croesi atom. Dywedais am yr hyn a synhwyrwn wrth y lleill ac fel roeddem yn sôn am hyn roedd yr iasau yn cryfhau. Dyma Elwyn yn dweud ei fod yn cael presenoldeb, a gofynnodd i'w arweinydd ysbrydol a oedd yn iawn inni redeg y tâp-recordydd er mwyn inni gael recordio'r hyn a gâi ei ddweud? Dywedwyd fod popeth yn iawn. Gan ein bod wedi recordio bron y cyfan a ddywedwyd y noson honno mae'n bosibl ei ysgrifennu air am air yn union fel y digwyddodd pethau.

"Dwi'n ca'l enw, Catherine Ann Jennings, dynes dal, dena','' meddai Elwyn. 'Mae ganddi ffiling aur yn ei dant, ac ar brydia' mae'n gwisgo sbectols. Mi fedra' i ei gweld hi heb ei sbectol ac mi fedra' i ei gweld hi yn eu gwisgo.'

'Pa flwyddyn ydi hi?' gofynnais innau.

'1939. Mae hi'n ddynes fawreddog braidd. Mae hi'n gwisgo

sgert a thop melfaréd brown fel lliw coffi. 'Dydi hi ddim yn byw yma. Mae hi'n ymweld o dro i dro, mae hi'n deall rhywfaint o Gymraeg ond Saesnes ydi hi. Mi ydw i'n gweld dyn yn y cefndir. Mae hi'n ddynes fawr gref. Mae yna ddyn yn y cefndir sydd yn hŷn o lawer na hi. Mae ganddo fop o wallt gwyn, mae o'n cario ffon, un sydd yn agor fel y rhai a ddefnyddir i eistedd arnyn nhw mewn rasus ceffylau. Mi ydw i'n teimlo'u bod nhw'n dwad o gyfeiriad Lerpwl. Mae'r gair Jennings yn dwad eto, Albert Jennings, a 'dwi'n teimlo mai gŵr y ddynes yma ydi o. Mae o yn y cefndir, y hi ydi'r bos. Maen nhw'n gefnog iawn. Mi ydw i'n gweld car mawr posh yn y cefndir. 'Fedra' i ddim gweld 'i rif o, ond mae o'n gar o bwys tebyg i Rolls Royce ac yn lliw glas tywyll. Yn sicr 'dydi o ddim yn Austin Seven na dim byd felly. Mae o'n goblyn o gar, 'dwi bron yn siwr mai Rolls neu Bentley ydi o, ac mi ydw i'n 'i gweld hi fel petai hi yn sefyll yma gyda ni, ac mi ydw i'n 'i weld o fel petasa' fo'n sefyll wrth y car yn bellach i lawr. 'Dwi'n teimlo ein bod ni yn yr ardal yma. Mi wna' i ada'l i hwn ddatblygu rwan, i edrych be' wela' i. Mae o wedi bod yn ddyn busnes llwyddiannus yn Lerpwl, yn yr hen ddyddia', mewn busnes tebyg i fusnes llonga' yn mewnforio ac yn allforio nwydda'.'

Ar hyn daeth Rhodri i'r sgwrs.

'Mi oedd yna ŵr wedi bod yn byw yma ym Mryntirion ryw dro a mi oedd wedi g'neud 'i arian efo'r Cunnard Line yn Lerpwl.'

'Mae petha'n cryfhau rwan, mae'r hen ddyn yma wedi bywiogi drwyddo,' meddai Elwyn.

Daliodd Rhodri i siarad amdano.

'Oedd, mi oedd o'n byw yma tua'r dauddega' a'r tridega', a fo sydd wedi plannu'r coed yma ac wedi g'neud y gerddi yma. Mi ddwedodd rhyw wraig wrtha' i fod 'i diweddar ŵr yn 'u cofio nhw'n byw yma, a mi ydw i'n cofio tad Meiriona yn sôn amdano fo hefyd. Ryw ychydig flynyddoedd y buon nhw yn byw yma.'

'Mi wela' i o'n iawn rwan,' meddai Elwyn ar hyn. 'Mi fedra' i 'i ddisgrifio fo. Mae yna ryw debygrwydd i Lloyd George ynddo fo, efo mop o wallt gwyn ganddo. Mae o'n weddol fyr o'i gymharu â hi. Mae 'na gysylltiad Cymreig efo fo yn hytrach na gyda hi. Mae o'n medru siarad Cymraeg. Mae o'n gryf arna' i rwan. Mae ganddo fo fwstásh. Siaradwch yn uniongyrchol efo fo rwan, croesawch o yma.'

Dyma Rhodri yn ei gyfarch.

'Wyt ti'n siarad Cymraeg?'

Roedd yr hen ŵr yn gwenu arnom.

'Oeddet ti'n arfer byw yn y tŷ yma ers talwm?'

Ni chafwyd ateb i hyn, ond aeth Rhodri yn ei flaen am y gwaith ardderchog yr oedd o wedi'i 'neud yn yr ardd, a'i fod yntau wedi gadael iddi dyfu'n wyllt.

'Mae o'n falch ofnadwy eich bod chi wedi'i 'nabod o,' meddai Elwyn. 'Mae o wrth 'i fodd. Rwan mae'i wraig o'n dwad i'r golwg. Mae hi'n dipyn o fos. Mae hi'n ieuengach na fo, mae hi tua phum deg oed, medda' fo, ond mae o tuag ugain mlynedd yn hŷn na hi, ac yn ŵr clên iawn; ond mae hi'n dipyn o fos, ond mae'n rhaid iddi fod, medda' hi, er mwyn cadw trefn arno fo. Mi welis i gynna' o ble'r oedd o'n dwad, ac mi ydw i'n ca'l y gair Hafod, fferm fawr. Mae o'n dangos darlun o'r fferm imi rwan, Hafod rhywbeth, Hafod Lwyfog, efallai, 'dydw i ddim yn siwr. Mae'r enw Tal-y-sarn yn dwad rwan. 'Dwi'n mynd i lawr y dyffryn sydd o Gapel Curig i gyfeiriad Beddgelert. Hafod Lwyfog? Maen nhw'n deulu mawr. 'Dwi'n ca'l yr argraff ein bod ni yn ardal Tal-y-sarn. Mi ydw i'n ca'l cysylltiad efo mwy nag un lle. Mae yna amryw o feibion ar y fferm, a fo ydi mab ieuengaf y lle, ac mae o wedi mynd i Lerpwl i weithio.'

'Pa bryd roedd o'n byw yn tŷ yma?' gofynnais.

'Yn y dauddega' a'r tridega' yn y ganrif yma. 'Dwi'n teimlo ein bod yn y cyfnod hyd at yr Ail Ryfel Byd. Mi ydw i'n gweld y car yn iawn rwan, Rolls Royce ydi o, un glas. Mae o'n sefyll yn 'i ymyl o yn 'i ddangos o imi, ond 'fedra' i ddim gweld y rhif. Mae o'n falch iawn ohono fo. 'Does gyno fo ddim *chauffeur* yn ei ddreifio fo. Mae o wrth 'i fodd yn 'i ddreifio fo 'i hun. Mae o wedi mynd i weithio i Lerpwl yn ifanc fel clarc mewn un o'r swyddfeydd sydd yn ymwneud efo llonga', swyddfa Cunnard, ac mae o'n hynod o falch. Mae o wedi dechra' o'r gris isaf ac wedi gweithio ei ffordd i fyny, wedi bod yn llwyddiannus iawn ac ma' ganddo fo fwstásh, gyda llaw.'

'I ble'r aeth o i fyw o Fryntirion?' gofynnais innau, a chawn fod rhyw gysylltiad â Chaer. Roeddwn yn gweld yr enw Caer yn gryf.

'Dyna be' wyt ti'n 'i ga'l rwan, ie?' gofynnodd Elwyn. 'Mae'r effaith wedi gwanhau rwan. Gad inni ga'l cyfle i sgwrsio gydag o. Mae o wedi mynd â ni i swyddfa yn Lerpwl. Mae o'n dangos y Rolls Royce imi. Mae ganddo ledr lliw hufen yn y tu mewn. 'Dwi'n 'i gweld hi rwan, y wraig. Mae 'na gathod o gwmpas, tair ohonyn nhw, ac mae hitha' yn 'u mwytho nhw.'

Ar draws y stori, ac yn hollol groes i'r hanes a gaem, cawn innau ddarlun ohono yn mynd ar hyd y ffordd yn ei gar ac yn mynd allan o'r car ac i siop gig yn Y Bala. Gofynnais am ei henw ac ymhle yn union yr oedd?

'Yr ateb yn syth bin ydi Robert neu Roberts,' meddai Elwyn.

'Oes 'na enwe o flaen y Roberts?'

''Dwi'n mynd ar hyd y stryd fawr i gyfeiriad dy dŷ di ac ma' hi ar yr ochor chwith, siop Owen Roberts. 'Dwi'n ca'l darlun o siop, ac o gwmpas y drws wedi ei baentio'n wyn, mae 'na amryw o sgwariau bach o wydra'. Mi fedra' i weld enw arni, Owen Roberts. Mae'r enw mewn lliw aur, aur a du ar gefndir gwyn.'

'Siop be' oedd hi cyn iddi fod yn siop gig?'

'Siop defnyddia'. 'Dwi'n gweld rôls o ddefnyddia' ynddi. Y cwestiwn yn gynharach oedd i ble'r aethon nhw oddi yma? 'Dwi'n teimlo 'u bod nhw wedi mynd i gyfeiriad Bangor, mae'r enw Y Felinheli yn dwad.'

'Be' 'di'r cysylltiad efo Caer?'

'Mi 'dwi'n gweld siopau Caer ac mae gen i deimlad fod y wraig yn hanu o Swydd Gaer. Mi ydw i'n 'i gweld hi efo ceffyla'. Mae ganddi hitha' gefndir ffermio ac mae hi'n hoff iawn o geffyla'.'

'Ymhle y claddwyd y ddau?'

'Pentir yn ymyl Y Felinheli, yn yr eglwys ym Mhentir o bosibl.'

Nid oeddem yn cael rhagor o wybodaeth, a theimlwn innau eu bod yn pellhau oddi wrthym; ar hynny terfynwyd y drafodaeth gyda nhw.

19.

Llywelyn ap Gruffudd

Daeth presenoldeb arall atom wedyn, ond gwan ydoedd a ffurf annelwig a welem. Dywedodd Elwyn ei fod yn gweld gŵr mewn urddau eglwysig, mewn dillad du gyda rhyw fathodyn yn hongian am ei wddf, fel rhyw groes Geltaidd, ond ni allai ei weld yn iawn. Yn sydyn ciliodd y presenoldeb hwn ac ni chafwyd cyfle i drafod gydag o, ond daeth presenoldeb arall, gan gryfhau a llenwi'r 'stafell.

Dywedodd Elwyn ei fod yn cael yr enw Gwilym, a dyma ninnau yn ei groesawu. Roeddem yn ei adnabod gan ein bod wedi ei weld lawer gwaith o'r blaen. Gwilym Mersia, ysbryd gwarcheidiol Rhodri, ydoedd, ac meddai gan godi ei fraich i'n cyfarch.

'*Bendith arnoch chwi.*'

'Gan mai ti a gyflwynodd Llywelyn inni,' meddwn wrtho, 'a fedri di enwi'r deunaw oedd gydag o ar Bont Orewyn y diwrnod tyngedfennol hwnnw pan gafodd 'i ladd? Roedd 'na ddeunaw gŵr efo fo, yn 'doedd, a 'does neb yn y byd yma yn yn gw'bod be' oedd enw yr un ohonyn nhw.'

Atebodd yr Esgob mewn llais crisial.

'*Deunaw gŵr.*'

'Wyt ti'n cofio rhywfaint o farddoniaeth yn ymwneud â Llywelyn?' gofynnodd Elwyn i mi. Adroddais innau ran o gerdd fawr Gruffudd ab yr Ynad Coch i Lywelyn:

> Poni welwch chwi hynt y gwynt a'r glaw?
> Poni welwch chwi'r deri'n ymdaraw?

'Mae hyn yn effeithiol iawn, mae o'n cryfhau'n ofnadwy wrth iti adrodd y rhanna' yna,' meddai Elwyn.

Gofynnais iddo a oedd o'n adnabod Llywelyn? Gwyddwn o'r troeon cynt ei fod yn gwybod yn iawn amdano ac am yr hyn a ddigwyddodd ger Afon Irfon, ond ni chawsom ateb, ac nid oedd yn ymddangos yn gryf inni. Gwelwn ei ffurf ond ffurf wan ydoedd, ac roedd o'n gwenu'n braf arnom.

Dywedodd Elwyn ei fod yn cryfhau yn ofnadwy pan oeddwn i'n adrodd y farddoniaeth iddo. Euthum ati eto i adrodd rhagor o farddoniaeth oddi ar y cof, ond er mwyn imi ddal ati rhoddwyd y gorau iddi nes yr aeth Rhodri i 'nôl lamp er mwyn i mi fedru darllen y cerddi o'r llyfrau yr oeddwn wedi dod â nhw efo fi, ac erbyn hyn roedd i'w weld yn weddol glir. Er mwyn fy modloni fy hun, ac i wneud yn siwr fy mod yn iawn, gofynnais sut un oedd o o ran pryd a gwedd, er mwyn gweld a oedd y disgrifad a roddai Elwyn ohono yn cyd-fynd â'r hyn a welwn i rwan, a'r hyn a welais ar noson arall.

'Mi ydw i mewn dyffryn o fath, dyffryn coediog,' meddai Elwyn yn sydyn. 'Mae 'na le i fyny o'r bont. Mae 'na gastell neu dŷ mawr i fyny ar y bryn, ond 'tydw i ddim yn ca'l enw arno.'

'Ydi Llywelyn yn ymyl y dyffryn?' gofynnais.

'Mae 'na le coediog iawn, a'r darlun sydd gen i ar hyn o bryd ydi 'u bod nhw yn ca'l hamdden wrth y bont 'ma,' atebodd Elwyn eto. 'Mae'r ceffyla' yn yfed o'r dŵr. Mae'r dynion yn ymlacio ac yn sgwrsio ymysg ei gilydd.'

'Ydi Llywelyn efo nhw?'

'Mae Llywelyn efo nhw yn fyw ac yn iach.'

'Be' 'di'i daldra fo?'

'Mae o'n llydan ac yn fawr, 'tydi o ddim yn edrych mor dal gan ei fod o mor llydan. Mae o'n arth o ddyn ac yn hynod o gryf.'

'Ydi o dros chwe throedfedd?'

'Na, 'faswn i ddim yn deud ei fod o'n chwe throedfedd, ychydig yn llai na chwe throedfedd.'

'Be' 'di'i oed o?'

'Mi faswn i yn deud 'i fod o tua hanner cant. Mae gyno fo

wyneb coch a golwg iach arno fo. 'Dwi'n 'i weld o wedi gwisgo rhywbeth am 'i ben ac mae gyno fo wallt rhyw gringoch. Mae o'n gwisgo rhywbeth tebyg i wasgod ledr frown. Mae yna dylla' ynddi i'r breichia', ac o dan y wasgod mae gyno fo ryw fath o grys o ddefnydd bras, tebyg i ddefnydd a lliw sach.'

'Be' sy' gyno fo am 'i ben?'

'Mae gyno fo helmet fetel am 'i ben, ond fel 'dwi'n 'i weld o rwan mae o wedi'i thynnu hi ac maen nhw i gyd yn ymlacio wrth yr afon. Mae'i wallt o'n hir ac yn gringoch, felyngoch. Mae'i wyneb o'n sgwâr a'i wddw o'n llydan.'

'Sut drwyn sy' gyno fo?'

'Mae'i drwyn o yn grwm braidd, mae yna dro ynddo, fel yr hyn rydan ni yn ei alw'n 'Roman Nose' . . . llygaid glas. Mae o'n ddyn hynod o garismatic a 'dwi'n teimlo fod gan y milwyr sydd efo fo barch mawr iddo fo, ond 'tydi o ddim ar wahân. Mae o'n agos iawn at y milwyr sydd efo fo. Mae yna bresenoldeb rwan, a mi ydw i am fod mor rhyfygus â gofyn am bresenoldeb Llywelyn ei hun. Llywelyn, os ydi hi'n bosib i ti ddangos dy hun inni, 'nei di 'neud hynny rwan? Mae croeso iti ddefnyddio fy nghorff i dros-dro. Mi fydd hi'n fraint fawr i ni ga'l dy gyfarfod di ar ôl yr holl flynydd-oedd. Rydan ni yn dy groesawu di ac yn ei chyfri hi'n fraint ca'l dy gyfarfod di.'

Gwelwn ei ffurf yn gliriach o lawer gyda hyn, a chododd ei fraich i fyny i'n cyfarch, gŵr ag wyneb hirsgwar ganddo, gŵr cadarn iawn yr olwg. Roedd y llaw yn agored a'r bawd wedi ei blygu ar ei thraws. Gwyddwn yn iawn mai Llywelyn ydoedd gan fy mod wedi cyfarfod ag o o'r blaen.

'Pwy oedd y deunaw milwr efo ti ar lan Afon Irfon pan gest ti dy ladd?' gofynnais iddo.

Mewn ychydig o eiliadau atebodd, ond nid yn uniongyrchol.

'*Pryderi, Gwynys, Cadwgan, Elffin.*' Wedyn cafwyd saith enw sydd yn awgrymu o bosibl mai llysenwau ydyn nhw.

'*Gwron, Gwalch, Estyllen, Llyg, Morgrugyn, Diwair, Asgellog, yna, Anas [neu Anmin], Gwilym, Hywel, Edryd [neu Eldrydd], Caswallon, Cadwallon a Rhodri.*'

Rhoddais yr enwau i lawr yn union yn y drefn y cafwyd nhw gan Lywelyn.

'Be' ddigwyddodd ger Pont Orewyn y diwrnod hwnnw?' gofynnais iddo.

Cynhyrfodd gyda'r cwestiwn hwn a daeth newid i'r llais. Siaradai â ni yn uniongyrchol rwan yn ei lais ei hun, llais gweddol ddwfn. Nid oedd yn wyllt fel o'r blaen, ond roedd ynddo ddicter a ffyrnigrwydd.

'Ffug, twyll, ffug addewid am gymorth Montford, gwahoddiad i drafod ple am help.'

'Be' oedd enw cyntaf Montford?'

'Seimon. Cynllwyn Edward a Montford.'

'Pwy 'di Edward?'

'Edward Frenin. Montford yn cael ffafr yn llygad y Brenin.'

'Pa fath o ffafr?'

'Addewid am diroedd.'

'Ymhle?'

'Yn Hwlffordd.'

Ei weld yn gadael ei filwyr oedd y darlun a gafwyd nesaf, ac yn crwydro i lawr at yr afon ar ei ben ei hun, ac yn sydyn, heb unrhyw fath o rybudd, roedd rhywun yn gwylio'i symudiadau o a'i filwyr. Fe'i gwelem yn cael ei daro gan saeth yn ei dalcen ar yr ochr chwith, ac yn syrthio i'r llawr, gan godi ei law at ei dalcen. Fe'i gadawyd yno trwy gydol ein sgwrs gydag o. Teimlwn boen dirdynnol yn ei wyneb. Roedd wedi ei glwyfo'n ddifrifol iawn, a'r gwaed yn llifo i lawr ochr ei wyneb. Ni welodd yr un o'r milwyr o ba gyfeiriad y daeth y saeth ac nid oedd neb i'w weld yn unman. Syfrdanwyd ei filwyr. Fe'u gwelem yn hel o'i gwmpas mewn braw a dychryn. Ni wyddent beth i'w wneud. Ceisiai rhai ei ymgeleddu, ond roedden nhw mewn panig llwyr gyda Llywelyn yn gorwedd yn ddiffrwyth ar y llawr rhwng byw a marw. Yn sydyn, daeth tri o filwyr y gelyn atyn nhw i weld beth oedd wedi digwydd. Wrth eu gweld dihangodd y mwyafrif o filwyr Llywelyn, a dywedodd fod saith ohonynt wedi aros gydag o.

'Be' 'di'u henwe nhw?' gofynnais, ond enwau chwech yn unig a gafwyd ganddo.

'Cadwgan, Anmin, Cadwallon, Hywel, Rhodri, ac Elffin.'
Disgrifiodd Elwyn yr olygfa ddilynol yn union fel y cafodd hi
gan Lywelyn.

'Gyda dyfodiad y tri milwr mae gwŷr Llywelyn yn lluchio eu
harfau i'r llawr. Wyddan nhw ddim beth i'w wneud, cymaint ydi
eu braw. Maen nhw mewn syndod mud a dryswch llwyr. 'Does
dim gwrthdaro gyda'r tri milwr arall. Yna, o gyfeiriad y castell
neu'r tŷ mawr ar y bryn, mae dwy ferch yn dwad i lawr i weld be'
ydi achos y cynnwrf. Maen nhw yn tosturio wrth y Tywysog
clwyfedig ac yn ceisio ei ymgeleddu heb fod yn gwybod, wrth gwrs,
pwy ydi o, mwy na'r tri gelyn oedd yno. Mae'r gwaed yn rhedeg i
lawr ei ddillad ac yn ceulo arnyn nhw ac ar y barrug sydd ar lawr.

'Pam ddaethost ti i'r fan hon, be' dynnodd di yma?' gofynnais.
*'Dod i drafod hel milwyr i'm helpu i ymgymryd yn erbyn Edward.
Montford yn newid gyda'r gwynt, minnau yn meddwl ei fod o'm plaid.'*
Nid oedd sôn am y gweddill o'i filwyr a oedd gydag o. Roedden
nhw wedi ffoi i'r goedwig gyfagos. Teimlwn dristwch trwchus yn
llenwi'r ystafell lle'r oeddem, ac am ychydig ni wyddwn beth i'w
ofyn nesaf iddo. Roedd ei law ar ei dalcen o hyd, a'r dagrau yn
treiglo i lawr ei ruddiau.

'Rwan,' meddai Elwyn, 'mae yna ruthr o gad yn dod i lawr y
bryn. 'Tydw i ddim yn gweld dim ar hyn o bryd ond mae sŵn
lleisiau yn dwad drwy'r coed. Maen nhw'n dwad yn nes rwan ac
maen nhw'n crynhoi yn gylch o gwmpas Llywelyn a'r saith milwr.
Mae 'na drafod yn mynd ymlaen rhyngddyn nhw – be' maen nhw
yn mynd i'w 'neud, ac maen nhw'n dadlau gyda milwyr Llywelyn
sydd wedi diarfogi.'

'Be' 'di'u hiaith nhw?'

''Tydw i ddim yn deall yr iaith. 'Dwi'n deall 'u hagwedda' nhw.
Mae'r tri milwr a'r ddwy ddynes 'ma yn trio esmwytho Llywelyn.
Maen nhw yn cydymdeimlo ag o. Rwan, mae'r rhuthr, mae'r
swyddogion a'r milwyr a'r petha' eraill yn cyrraedd. Mi faswn i'n
deud fod tua deg ar hugain i hanner cant ohonyn nhw wedi
cyrraedd. Mi ydw i'n gweld pobol ar geffyla' a rhai eraill ar draed.
Mae 'na tua hanner cant ohonyn nhw. Mae 'na ryw drafodaeth yn

139

mynd ymlaen. 'Tydi'r bobol oedd yno yn y lle cyntaf, y tri milwr, 'dydyn nhw ddim yn cyfri. Maen nhw'n symud o gwmpas ac mae'r merched yn dadlau ac yn trio gwarchod Llywelyn. Mae 'na drafodaeth fer yn mynd ymlaen: be' maen nhw'n mynd i'w 'neud, a'r penderfyniad ydi eu bod nhw yn mynd i ddileu'r gelyn yng Nghymru sydd ar ôl. Mae rhywun yn cymryd ei gleddyf ac yn ei drywanu trwy Lywelyn.'

Wedyn disgrifiodd Elwyn sŵn y cleddyf yn mynd trwy gorff Llywelyn.

'Maen nhw yn saethu'r lleill.'

'Y saith?' gofynnais.

'Ie, y saith. Rwan mae 'na hen lawenhau, er bod ar yr un pryd . . . 'tydi pawb sydd yn bresennol ddim yn cydweld, ond maen nhw wedi ca'l eu boddhau. Mae gŵr y plas – 'doedd o ddim efo nhw yn y lle cynta' – yn dwad i lawr atyn nhw.'

'Be' 'di'i enw o.'

'Seimon, Seimon de Montford, gŵr y plas, mae o yn ei bedwardega', tua hanner cant efallai. 'Tydi o ddim yn hen. Mae o wedi ei wisgo mewn rhywbeth coch ac ae rhywbeth mewn aur ar draws 'i frest o. Mae o ar farch du, 'tydi o ddim mewn gwisg . . . 'does gyno fo ddim arfa'.'

'Pwy sydd yn torri pen Llywelyn i ffwrdd?'

'Un o'r swyddogion, yr un a roddodd y cleddyf drwyddo fo . . . y math o iaith, ond 'tydw i ddim yn clywed y geiria' ond yr hyn maen nhw yn 'i gyfleu ydi *Put the old bastard out of his misery*. Eu bod nhw'n gwneud ffarf ag o drwy ei roi allan o'i boenau, a'r un dyn wedyn ar wŷs 'i feistr sydd yn torri'i ben o i ffwrdd.'

'Be' 'di enw hwnnw?'

'Y milwr sy'n g'neud hynny?'

'Ie.'

Bu tawelwch am rai eiliadau, ond toc atebodd Elwyn.

'Richard, Richard, rhywbeth fel de Môr neu de Mare.

'Pwy ddaru saethu'r saeth?' gofynnodd Rhodri.

''Dwi ddim yn ca'l enw, 'does dim yn dwad imi rwan.'

'Be' oedd diben torri'r pen i ffwrdd?' gofynnais innau.

'Yr un rheswm â thros dorri cynffon llwynog, i brofi i'r brenin fod y peth yn wir, fod y weithred wedi'i chyflawni. 'Tydw i ddim yn ca'l enw'r gŵr a fwriodd y saeth. 'Dwn i ddim a ydi hi'n bosib inni gyfarfod â hwnnw.'

'Fy Arweinydd Ysbrydol,' meddai Elwyn drachefn, 'os ydi hi'n bosib i ni ga'l presenoldeb y milwr a fwriodd y saeth i ben Llywelyn, mae'n bosib 'i fod o wedi edifarhau am yr hyn 'wnaeth o. Os ydi hi'n bosib i ni ga'l 'i bresenoldeb o yma, gawn ni hynny?'

Erbyn hyn roedd Llywelyn wedi cilio a daeth presenoldeb gwan arall drwodd, ond nid oedd neb i'w weld. Ar hyn dyma'r ffôn yn canu yn y tŷ ac yn tarfu ar y myfyrdod. Aeth Rhodri o'r ystafell i'w ddistewi.

''Dwi'n teimlo fod gyno fo locsyn, dyn go fychan. Be' sydd isio imi'i ofyn iddo fo ydi oedd o'n gw'bod be' oedd o'n 'i 'neud.'

'Ie.'

'Mi oedd o ar wyliadwraeth yn y coed ger y bont.'

'Pa bont?' gofynnais,

'Y bont dwi'n 'i gweld dros yr afon. Mi oedd o i fyny yn y coed yn edrych dros y bont. Mi oedd o wedi ca'l gwŷs i ga'l gwared ag unrhyw un.'

'Be' 'di enw'r bont?'

'Gwyn, rhywbeth Gwyn,' meddai Elwyn ymhen ychydig.

Aeth rhai eiliadau heibio heb i ddim gael ei ddweud.

'Ai Pont Orewyn ydi'i henw hi?' gofynnais.

'Ie, Pont Orewyn,' atebodd Elwyn ar ôl ysbaid.

Gofynnais i'r gŵr a fwriodd y saeth i ben Llywelyn beth oedd ei enw, ond ni chafwyd ateb ganddo, ac roedd ymdeimlad o edifeirwch i'w ganlyn. Gwelwn mai dyn barfog a byr o gorffolaeth ydoedd.

'Mi oedd 'na ddeunaw gŵr ger y bont yn ôl yr hanes. Be' ddigwyddodd i'r milwyr ddaru ddianc pan drawyd Llywelyn? Gawson nhw 'u lladd?'

''Tydw i ddim yn meddwl 'u bod nhw wedi eu lladd,' atebodd Elwyn. 'Mae gen i deimlad 'u bod nhw wedi dianc yn llwyddiannus, wedi crwydro, wedi cuddio . . . Mae'r dyn 'ma, y milwr ddaru danio'r saeth, yn teimlo'n edifar am yr hyn mae o wedi'i 'neud yn syth. 'Dwi'n meddwl 'i fod o yn un o'r tri milwr oedd efo'r merched oedd yn rhoi cysur i Lywelyn.'

'Be' oedd enw mam Llywelyn? 'Tydi haneswyr Cymru ddim yn siwr be' oedd enw'i fam,' ymunais.

Ar hynny dyma awyren yn rhuo dros Fryntirion. Roedd hyn yn deimlad rhyfedd iawn. Roeddem ni ar un llaw wrthi yn trafod gyda phobl o'r drydedd ganrif ar ddeg, ac yn sydyn dyma'r ugeinfed ganrif yn chwyrnellu uwch ein pennau.

'Fy Arweinydd Ysbrydol i,' meddai Elwyn wedyn, 'ydi hi'n bosib i ni ga'l presenoldeb Llywelyn fel y cafwyd gynt, y fraint eto. Llywelyn, eto mae croeso iti ddefnyddio fy nghorff i dros-dro i siarad efo'r hogia'.'

Fe'i teimlwn yn dod drwodd atom yn gryf, ac yn sydyn roedd yno ar Elwyn, ac yn edrych arnom ac yn codi ei fraich chwith uwch ei ben. Roedd ei law yn agored a'r bawd wedi ei blygu ar draws ei chledr. Roeddwn wedi ei weld yn gwneud hyn o'r blaen ar noswaith arall.

'Be' ydi arwyddocâd codi dy fraich i fyny fel hyn?' gofynnais iddo.

'*Bendith Duw arnoch chwi,*' atebodd.

Roedd ei bresenoldeb yn gryf iawn, ac ymddangosai yn hollol glir inni.

'Be' 'di enw dy fam? 'Tyden ni ddim yn siwr o'i henw. Wyt ti am ddeud 'i henw hi wrthon ni?' gofynnais.

''Dwi'n ca'l y llythyren A. Anael, Angharad?' atebodd Elwyn, 'ond 'tydi pethe ddim yn glir. 'Dwi ddim yn siwr,' meddai, ac wedyn gofynnodd: 'Os ydi dy fam efo ti, Llywelyn, os gelli di ei helpu hi i ddwad aton ni, mi fydden ni yn galw hynny yn fraint fawr hefyd.'

Ar hynny ciliodd Llywelyn a theimlwn rywun arall yn dod drwodd atom.

'Mi ges i awel o wynt rwan,' meddai Elwyn.

Wedi iddo ddweud hyn roedd y presenoldeb yn cryfhau, ac yn sydyn gwelwn rywun yn ymffurfio arno. Disgrifiais i a Rhodri yr hyn a welem gyda'n gilydd.

'Ffurf merch, merch brydferth iawn, a merch urddasol iawn hefyd.'

Fel y dywedem hyn daeth ei phresenoldeb yn gryfach. Gofynnais iddi beth oedd ei henw?

'A... bigail, A... bigail.'

'A... bigail be'?' Ni chafwyd ateb.

'Be' oedd enw dy dad a dy fam?' Nid atebodd, ac erbyn hyn edrychai yn syth arnom, a gwisgai rywbeth am ei phen ond ni allem weld yn iawn beth oedd.

'Wyt ti am ymddangos yn gryfach inni?' gofynnais iddi. ''Tydw i ddim yn dy weld di'n hollol glir.'

Ar hynny daeth yn llawer cryfach, ac fe'i gwelwn yn iawn. Holais hi ymhellach.

'Wyt ti'n siarad Cymraeg?'

Cafwyd neges ganddi ei bod.

'Faint o feibion sydd gen ti?' gofynnais eto.

Ni ddywedodd ddim, ond cododd ei llaw, ac roedd pedwar bys yn dangos fod ganddi bedwar mab, ond roedd y bawd yn codi weithiau hefyd ac yn disgyn yn ei ôl ac yn codi wedyn drachefn. Ni wyddwn beth oedd ystyr hyn.

'Ydi Llywelyn yn fab i ti?' gofynnais.

Ar hyn daeth ei ffurf yn gryfach o lawer inni. Roedd yn amlwg fod yno emosiwn mawr ynglŷn â Llywelyn. Daeth yn gryfach. Roedd ganddi wyneb hirsgwar, â thrwyn gyda chymal ynddo, ei llygaid yn fawr a'i thalcen yn llydan. Roedd ei hwynepryd yn debyg iawn i un Llywelyn, ei hwyneb yr un siâp ag wyneb ei mab, yr un trwyn a gên ag o. Roedd Rhodri a minnau yn ei ddisgrifio gyda'n gilydd yn union fel yr oedd, ond ein bod yn defnyddio geiriau gwahanol, ond yr un oedd y darlun ohoni.

'Ymhle y ganed Llywelyn?' gofynnais iddi.

Nid oedd am ein hateb ar y pryd, a daliem i sgwrsio gyda hi. Aeth rhai eiliadau distaw heibio.

'Mae hi bron iawn yn siarad yn uniongyrchol efo ni. Rydan ni yn y gogledd. Deganwy? Deganwy?' meddai Elwyn.

'Ymhle yn Neganwy?'

'Castell Deganwy.'

'Ymhle y ganed Dafydd? Roeddech chi fel teulu yn symud o gwmpas, yn 'doeddech? 'Doeddech chi ddim yn aros yn yr un lle yn rhy hir rhag ofn y gelyn.'

'*Dolwyddelan.*'

'Ymhle y ganed Rhodri?'

'*Bere,*' ymhen ysbaid.

'Ymhle y ganed Owain?'

''Dwi'n ca'l darlun o Benarlâg rwan,' meddai Elwyn, 'ac roedd gen i deimlad fod 'na ferch hefyd, a honno wedi marw yn ifanc iawn, yn ogystal â phedwar mab, plentyn efo gwallt cringoch, *chestnut colour* felly. Mae hi wedi marw, 'dwi'n meddwl. 'Dwi'n 'i gweld hi tua rhyw flwydd i ddwyflwydd oed.'

'Be' 'di'i henw hi?'

'Mae'r llythyren A yn dwad, A rhywbeth.'

Ceisiais ei helpu.

'Angharad?'

'Na, nid Angharad. Mae'r enw Agnes yn dwad, ond 'dwi ddim yn siwr.'

Yn sydyn aeth ei phresenoldeb yn wan a theimlwn nad oedd yn dymuno trafod ymhellach gyda ni, a diflannodd o'r golwg. Penderfynwyd ein bod am gael paned o de a seibiant, ond nid oeddem wedi sylweddoli fod yr amser wedi hedfan a'i bod hi yn chwarter i hanner nos ac yn hen bryd inni roi'r gorau iddi. Roeddem yn flinedig iawn erbyn hynny.

Pan gawsom enwau'r milwyr ger Afon Irfon roeddwn wedi diffodd y tâp-recordydd gan fod y ffôn wedi canu yn y tŷ ac anghofiais ei roi i fynd yn ôl am dipyn, ond roeddwn yn ysgrifennu'r hanes fel y dôi, beth bynnag. Nid oedd ond tywyllwch, i bob pwrpas, yn y 'stafell, a dim ond y golau coch gwan ar Elwyn, a hwnnw wedi ei guddio gan lyfr tal rhyngom ni ac o; o'r herwydd, mae'r ysgrifen yn flêr, gan nad oeddwn yn gweld y papur yn iawn, ond mae'n ddealladwy. Ni wyddem faint o enwau a gafwyd, er fy mod wedi sôn am ddeunaw yn y drafodaeth gyda Llywelyn. Aethpwyd ati i'w cyfri, a chael mai deunaw enw yn union a ysgrifennais.

Nid oes gennyf unrhyw fodd i brofi ein bod yn gywir ynghylch yr hyn a ddigwyddodd wrth Bont Orewyn a glan Afon Irfon yn Rhagfyr 1282, na phrofi ychwaith fod yr enwau a gawsom na'r wybodaeth arall a ddaeth i'r fei yn gywir. Yr unig beth y gallaf ei ddweud ydyw mai gan Lywelyn ei hun, trwy ei enau ei hun a genau ei fam ei hun, y cafwyd y wybodaeth hon.

Aethom i'r tŷ hwn ar y noson arbennig honno i geisio llareiddio'r enaid briwiedig yr oedd y teulu yn ei glywed yn cerdded i fyny'r grisiau. Ni wyddom ai un o'r ysbrydion hynny a gafwyd y noson hon ai peidio. Fy nheimlad i yw na ddaeth y person hwnnw atom o gwbwl, ac y bydd y teulu yn dal i glywed pethau yn digwydd yno, ac y cawn ninnau alwad arall gyda hyn.

Llun o Lywelyn ein Llyw Olaf a dynnwyd gan Medwyn Roberts, gan ddilyn yn fanwl ddisgrifiad yr awdur ohono ar ôl ymddangos i'r cwmni ym Mryntirion.

145

20.

Darganfod Gwilym Mersia

Wrth chwilio am Gwilym Mersia cysylltais â Llyfrgell Eglwys Gadeiriol Wells, Gwlad-yr-haf, i holi yn ei gylch. Dyma ran o'r llythyr a dderbyniais fel ateb i'm cais.

> *Dear Mr Edwards,*
> *. . . William of March was indeed a medieval Bishop of Bath and Wells . . . the dates of his episcopate are 1293-1302. He is buried in a handsome tomb in the south transept of Wells Cathedral. You will find some details about him in L. S. Colchester,* New Bell's Cathedral Guides: Wells Cathedral *(1987) and L. S. Colchester, ed.,* Wells Cathedral: a History *(1982), and the* Dictionary of National Biography, *and from an older book, S. Casson,* Lives of the Bishops of Bath and Wells *(1892) . . .*

Derbyniais hefyd y wybodaeth ganlynol:

> 1. *William Marsh, Treasurer of the Exchequer of England, 12th Bishop of Bath, was incumbent for 10 years and is buried in Wells Church in the south transept between the door of the cloister and St Martin's altar.*
> *Many notable miracles once occurred at his tomb.*
> 2. *Wharton in the note to the Canon observes:*

Beddrod Gwilym Mersia: cerfiadau o angel (ar y chwith) ac o'r Esgob (ar y dde), ond gyda pheth difrod wedi'i wneud iddyn nhw.

William Marsh, King's Cleric, was appointed Treasurer of England in 1290 and was removed from his office in the middle of the year 1295. In the meantime he was elected in the Chapter of Bath to the Bishopric of Bath and Wells, being at the time Canon of Wells; confirmed [in the post] by the King on 1st March and by the Chapter of Canterbury (the Archbishopric being vacant at the time) on 12th March; consecrated at Canterbury Church by Richard, Bishop of London, on Whit Sunday, May 17th; thus the registers of Canterbury and Wells and the Annals of Bruton and Wigorn relate. The Annals of London mistakenly record that he was consecrated on Thursday of Whit week. William died on 11th June 1302 with an uncommon reputation for saintliness; for in 1324 and 1325 the Chapter of Wells sent a delegation to the Pope to petition for his canonisation. In a letter dated 4th December 1325 all the Bishops of England requested the

Beddrod Gwilym Mersia.

same thing, so too did King Edward. The Chapter more-
over recounted several reports of miracles said to have
been performed by him after his death. I find however
that none of this was accomplished. It was not ordained
that William should be included in the list of Saints.

148

3. *In the same year [1290] on the Feast of St Martin, Lord Robert Burnel, Bishop of Bath, master of Louth, Lord Henry de Laci, county of Lincoln, and Master Robert de Skeringe, Archdeacon of Norfolk, and* **Master William Marsh** *and others were appointed at Westminster to hear complaint[s] on behalf of the Lord King of injuries [committed against] the common people by his ministers while he was abroad.*

4. *In the same year [1293] on Thursday of Whit week,* **Master William Marsh,** *king Edward's Treasurer, was appointed Bishop of Bath at Canterbury by the Bishops of London and Rochester, the Archbishop [of Canterbury]'s seat being vacant.*

Yn y gyfrol *Lives of the Bishops of Bath and Wells* gan Stephen Hyde Cassan, 1829, ceir y cofnod canlynol amdano:

William Marsh or De Marchia
Succeeded A.D. 1293 – Died A.D. 1302

This Prelate, who had been a Canon of Wells before he was Bishop, was Treasurer of England from 1290 to 1295, being highly esteemed by Edward I. His election to this See took place January 30, 1293; his consecration May 17. Elsewhere, it appears that he was elected on the Friday after the feast of the conversion of St. Paul, 1292; had the royal assent March 1; the temporalities restored the 19th of the same month; and was consecrated on Whit-Sunday, 1293.

From King Edward I, this Prelate obtained a grant of two fairs for the lordship of Bath; one to be held in the Barton, or the Ham, the other at Lyncombe.

He sat ten years, and dying June 11, 1302, was buried at Wells, in the south transept, between the door of the cloister and St. Martin's altar. The chapter-house was built in his prelacy, by contribution. An unsuccessful attempt was made to canonize him, but 'in fatis non erat'. It is alleged, that miracles were wrought at his tomb!

'The same year that Burnell died,' says Bishop Goodwin, 'William de Marchia, then Treasurer of England, succeeded, and was restored to the temporalities of this See, March 19, Edw. 1. 21. I have seen amongst the records of our Church of Wells, the copies of divers letters unto the Pope and Cardinals from the King, from divers of the nobility and the clergy of that Church, commending this man so for his holiness, testified, as they write, by many miracles; as they entreated very earnestly for his canonization. I marvel much at it; for Matthew of Westminster and Polydore Virgil complain grievously of him, as the author of a heinous sacrilege, in causing the King to spoil all the churches and monasteries in England of such plate and money as lay hoarded up in them, for the payment of his soldiers. It was Edward I, a prince that wanted neither wit to devise nor courage to execute such an exploit, and to lay the fault at last. Yet, likely enough it is, that such a fault stamped upon him, (how undeservedly soever) might bar him out of the Pope's calendar, who, otherwise, was not wont to be over dainty in affording that kind of honour, where fees might be readily paid for it.

He sat ten years, and lieth entombed in the south wall near the cloister door. In this man's time, the chapter-house was built, by the contribution of well-disposed people, – a stately and sumptuous work.'

Tomb. – 'Bishop Will. de Marchia,' says Mr. Britton, (Hist. Wells Cath. p. 107.) 'who died in June, 1302, was buried in the south transept, where his effigy lies on a low pedestal, beneath a recessed arch in the south wall. His head rests on a double cushion, supported by angels; and at his feet is a cropped-eared dog; his hand is raised, as blessing;

and his left holds a crozier. On the wall, above his head, is a mask of a man, boldly sculptured, with curled hair, beard and mustachios; probably (says Mr Britton) intended for the Saviour; a female head, with similar hair, probably of the Virgin, is inserted in the wall at his feet. Ornamented groins and tracery spread over the soffite of the arch; and at the back, on brackets of foliage, are three figures, now headless and otherwise mutilated; two of which represent angels, and the third a female. On the face of the pedestal, under the verge of the tomb, are six masks of different characters and aspect; four of them appear old and are bearded; one represents a young man, and another, a nun. The front monument is formed, by open screen work, in three compartments, seperated by graduated buttressess, which stand on a plain projecting basement. Each buttress is enriched with pinnacles, &c, and between them rise three pointed arches, having pendent tracery, and pyramidical heads adorned with crockets and finials, composed of rich foliage.

Yn y gyfrol *Dictionary of National Biography*, ceir y wybodaeth ganlynol amdano:

March, De La Marche, or De Marchia, William (d. 1302) treasurer, and bishop of Bath and Wells, was a clerk of the chancery in the reign of Edward I, apparently of humble origin, and a follower of Bishop Robert Burnell. In October 1289 he was put on a commission, of which Burnell was the head, to inquire into the complaints brought against the royal officials during the King's long absence abroad . . . About 1285 he became clerk of the King's wardrobe . . . in which capacity he recieved on 24 Feb. 1290, and again after the death of Bishop Burnell, the temporary custody of the great seal. There is, however, no reason for putting him on the list of lord keepers, as he simply took charge of the seal when it was in the wardrobe, its customary place of deposit . . . About 1290 he was rewarded for his services to the crown by a grant of a messuage in the Old Bailey in London . . . On 6 April of the same year he was made treasurer, in succession to John Kirkby, bishop of Ely, who died on 26 March . . . During the absence of king and chancellor in the north, at the time of the great suit of the Scots succession, William acquired a prominent position among the officials remaining in London.

William received various ecclesiastical preferments, important among which was a canonry at Wells. On 25 Oct. 1292 the death of Burnell left vacant the bishopric of Bath and Wells. There were the usual difficulties as to obtaining an agreement between the two electing bodies, the secular chapter of Wells and the monastic chapter of Bath. But at last the monks of Bath joined with a minority of the canons of Wells, who had gone down to the election intent on procuring the appointment of William of March. He was accordingly elected on 30 Jan. 1293. When the announcement of the election was made to the people in Bath Abbey, a countryman invoked in English blessings on the new bishop . . . The King gave his consent on 1 March, but the vacancy of the see of Canterbury, caused by the death of Peckham, delayed William's consecration until 17 May 1293, when he was consecrated at Canterbury by the bishops of London, Rochester, Ely, and Dublin . . . The occasion was made memorable by an unseemly fray that broke out between the servants of the Archbishop of Dublin and the Bishop of Ely, as they were returning home. The archbishop's tailor was slain by one of the bishop's men.

William retained the treasurership with his bishopric, but his excessive sternness rendered him unpopular . . . and in 1295 he became involved in the odium which Edward's violent financial expedients excited at that period. When

Archbishop Winchelsea complained to Edward of his sacrilege in seizing one half of the treasure of the churches, the King answered that he had not given the order, but that the treasurer had done it of his own motion . . . Thereupon Edward removed William from the treasury. The displaced minister paid large sums to win back the royal favour, but does not seem to have had much success . . . He is described during his ministerial career as a man of foresight, discretion, and circumspection.

Thus removed from secular life, William was able to devote the rest of his life to the hitherto neglected affairs of his diocese. He took no great part in public affairs, and showed such liberality in almsgiving and general zeal for good works, that he obtained great popular veneration. He obtained from the king the grant of two fairs for the lordship of Bath. He built the magnificent chapter-house of Wells Cathedral, with the staircase leading to it — works that well mark the transition of the 'Early English' to the 'Decorated' style of architecture . . . He died on 11 June 1302, and was buried in his cathedral. His tomb, with his effigy upon it, lies against the south wall of the south transept, between the altar of St. Martin and the door leading to the cloister. He seems to have left behind him no near kinsfolk, for the jury of the post-mortem inquest returned that they were ignorant as to who was his next heir . . . It was believed that many miracles, especially wonders of healing, were worked at his tomb . . . The result was that a popular cry arose for his canonisation. In 1324 and 1325 the canons of Wells sent proctors to the Pope to urge upon him the bishop's claim to sanctity. In the latter year the whole English episcopate wrote to Avignon with the same object. On 20 Feb. 1328 application was made to the same effect in the name of Edward III . . . But nothing came of these requests, and the miracles soon ceased.

Beddrod Gwilym Mersia: pen Crist efallai.

Drwy weld y dystiolaeth uchod ynglŷn â Gwilym Mersia, mae'n rhaid ei fod yn gwybod yn iawn am Lywelyn y Llyw Olaf, hyd yn oed os na bu iddo gyfarfod ag o yn bersonol, oherwydd bu Gwilym Mersia yn drysorydd i Edward y Cyntaf, prif elyn Llywelyn.

Cyfyd cwestiynau hefyd ynghylch didwylledd yr esgob hwn. Yn y gyfrol *The New Bell's Cathedral Guides, Wells Cathedral* gan L. S. Colchester, 1987, ceir y canlynol:

> *As a means of raising funds an attempt was made in 1324 to get William of March, bishop 1293-1302, canon-ized. The idea seems to have originated with the then bishop, Drokensford, almost certainly as a result of the successful canonization in 1320 of Thomas Cantilupe, Bishop of Hereford 1275-1282. But though William of*

March may have helped the canons of Wells financially with their building scheme, he does not seem to have been a proper subject for canonization. Contemporary records relate how 'in a single day, viz: the second Sunday in July 1294, there was a survey of all church wealth throughout the kingdom, such as had never been known before or since; and one half of everything was taken to finance the Scottish wars. And this was ordered not by the king, but by the king's Treasurer, namely the bishop – nay, the tyrant – of Bath, not defending the church but taking the offensive against it.'

When the Archbishop, Robert Winchelesey, protested to the King, Edward I disclaimed all responsibility, and

Beddrod Gwilym Mersia: pen y Forwyn Fair efallai.

blamed William of March. Besides, more than a year before these events, at the joint announcement by the Prior of Bath and the Dean of Wells in January 1293 of William of March's election as bishop, some unknown members of the public shouted out in English: 'Christescors and Seinte Marie habbe hi halle that hine chose bissop of Bathe' (The curse of Christ and of Saint Mary on all who chose him Bishop of Bath.) As soon as Ralph of Shrewsbury succeeded Drokensford as Bishop of Bath and Wells in 1329, all attempts to secure William's canonization were abandoned.

Yn y gyfrol *Wells Cathedral: a History,* a olygwyd gan L. S. Colchester, ceir lluniau o gerfluniau o Grist a'r Forwyn Fair ac angel a cherflun o Gwilym Mersia ar ei feddrod yn Eglwys Gadeiriol Wells; ac yn y gyfrol *Wells Cathedral,* eto gan L. S. Colchester ceir llun o'i feddrod yn gyfan. Mae'n rhaid dweud nad yw'r cerflun ohono yn ddim byd tebyg i'r gwrthrych fel y gwelais i o ar wyth achlysur gwahanol.